Senedd

Adeilad Cynulliad Cenedlaethol Cymru
a ddyluniwyd gan Richard Rogers, yng ngeiriau
Trevor Fishlock a thrwy ffotograffau Andrew Molyneux.
Cyfieithiad gan Rhys Iorwerth

GRAFFEG

Trevor Fishlock

Yn awdur ac yn ddarlledwr, bu Trevor Fishlock yn gweithio i'r Times yng Nghymru yn y 1970au ac i'r un papur yn India ac yn Efrog Newydd maes o law. Bu'n newyddiadura mewn trigain o wledydd fel gohebydd tramor cyn dod yn bennaeth ar swyddfa'r Daily Telegraph ym Moscow. Mae'n un o enillwyr gwobr Gohebydd Rhyngwladol y Flwyddyn yng Ngwobrau'r Wasg ym Mhrydain.

Bu'n gyflwynydd ac yn awdur 130 o raglenni teledu ar fywyd, hanes a thirlun Cymru, gan gynnwys y gyfres boblogaidd Wild Tracks a enillodd iddo wobr Bafta. Cyhoeddodd lyfrau am Gymru, India, America a Rwsia. Mae'r llyfr Conquerors of Time yn olrhain hanes mordeithiau byd-eang yn y bedwaredd ganrif ar bymtheg, a chomisiynwyd y gyfrol In This Place, sy'n adrodd hanes Cymru, i ddathlu canmlwyddiant Llyfrgell Genedlaethol Cymru. Mae'n hoff iawn o ddŵr y môr, a hwyliodd dros yr Iwerydd ddwywaith, ynghyd â thros Fôr y De o Cape Town i Melbourne. Mae'n byw yng Nghaerdydd.

Andrew Molyneux

Ganwyd Andrew yng Nghaerdydd ym 1963 a threuliodd flynyddoedd ei blentyndod yn cludo stand drithroed Colin, ei dad, o le i le hyd y wlad. Ar ôl cael dyrchafiad a dod yn gynorthwyydd amser llawn i Colin, dysgodd bopeth sydd i'w wybod am ffotograffiaeth gan yr athro gorau posibl. Aeth yn ei flaen i weithio fel cynorthwyydd i rai o ffotograffwyr corfforaethol gorau'r Unol Daleithiau.

Ar ôl dychwelyd adref, daeth yn enwog fel ffotograffydd corfforaethol creadigol, gan weithio i sawl un o 100 cwmni uchaf FTSE. Dros yr ugain mlynedd diwethaf, mae wedi teithio i bedwar ban byd yn tynnu lluniau. Mae'n dal i gludo'i stand drithroed ei hun, tan y bydd un o'i dri phlentyn yn ddigon hen i wneud hynny drosto.

Ar ran y bobl

Cynulliad Cenedlaethol Cymru yw'r corff sy'n cael ei ethol yn ddemocrataidd i gynrychioli buddiannau Cymru a'i phobl, i ddeddfu ar gyfer Cymru ac i ddwyn Llywodraeth Cymru i gyfrif. Mae gan y Cynulliad Cenedlaethol drigain o Aelodau etholedig, a dyma'r corff cyfatebol yng Nghymru i senedd y Deyrnas Unedig yn San Steffan. Mae'r pleidleiswyr yn ethol y Cynulliad Cenedlaethol bob pedair blynedd.

Mae Llywodraeth Cymru yn gorff ar wahân i'r Cynulliad Cenedlaethol, a hi yw'r Llywodraeth ddatganoledig i Gymru. Y Llywodraeth yw Prif Weinidog Cymru, Gweinidogion Cymru, y Cwnsler Cyffredinol a'r Dirprwy Weinidogion. Mae pymtheg ohonynt i gyd. Mae'r Llywodraeth yn gweithio i wella bywydau pobl Cymru ac yn cael ei chynorthwyo gan weision sifil yn y prif feysydd datganoledig, sef iechyd, addysg a'r amgylchedd. Mae gan y Llywodraeth swyddfeydd ym Merthyr Tudful, Aberystwyth a Chyffordd Llandudno.

O'r gair Lladin 'synodus' y daw'r gair senedd. Mae'n air sy'n disgrifio pobl yn dod ynghyd, er bod yr ystyr wedi newid rhywfaint o dan ddylanwad y gair Lladin 'senatus', sef cyngor o henuriaid.

Senedd cyhoeddwyd gan Graffeg 2010

Clawr meddal Cymraeg
ISBN 9781905582440
Clawr caled Cymraeg
ISBN 9781905582464
Clawr meddal Saesneg
ISBN 9781905582433
Clawr caled Saesneg
ISBN 9781905582457

Graffeg, Radnor Court, 256 Cowbridge Road East, Caerdydd, CF5 1GZ, Cymru, y DU.
Ffôn: +44 (0)29 2037 7312
sales@graffeg.com www.graffeg.com

Dyluniwyd a chynhyrchwyd gan Peter Gill & Associates
sales@petergill.com www.petergill.com

Mae cofnod catalog CIP y llyfr hwn ar gael gan y Llyfrgell Brydeinig.

Dosbarthwyd gan Gyngor Llyfrau Cymru
www.wbc.org.uk
castellbrychan@wbc.org.uk

Dymuna'r awdur gydnabod cymorth ariannol gan Gyngor Llyfrau Cymru
www.gwales.com

Awdur Senedd yw Trevor Fishlock ac mae'r ffotograffau gan Andrew Molyneux.
Lluniwyd y cyfieithiad gan Rhys Iorwerth.

Cynnwys

Y Senedd ym Mae Caerdydd – adeilad mentrus, clasurol a gwir Gymreig

01

Cyflwyniad

Ei beiddgarwch sy'n rhoi ei gosgeiddrwydd i'r Senedd yn y Bae. Hynny, ynghyd ag ymdeimlad o ofod ac eglurder go ryfeddol. O dan strwythurau a chromliniau clasurol, cawn ein denu ar hyd rhodfeydd eang y tu mewn a'r tu allan i'r adeilad hynod hwn. Lle agored ydyw yng ngwir ystyr y gair: lle sy'n eich croesawu â'i freichiau ar led.

Dyma gartref Cynulliad Cenedlaethol Cymru. Dyma hefyd dirnod gwleidyddol a phensaernïol sydd wedi deillio o esblygiad y wlad ac o dwf a dyheadau'r genedl. Senedd sydd wedi torri tir cwbl newydd yn hanes Cymru yw hon.

Wrth ymgiprys â'i gilydd i ddylunio'r adeilad, rhaid oedd i'r penseiri gofio am hunaniaeth ddiwylliannol a thiroedd cynhenid Cymru. Yn ei gyflwyniad i'r briff, pwysleisiodd yr Arglwydd Callaghan fod 'cyfle i fynegi'r cysyniad ... o Gynulliad cynrychioladol a hwnnw'n gwrando ar genedl fechan ddemocrataidd ac yn ei harwain'. Y gobaith oedd y byddai'r dyluniad yn dod yn symbol amlwg, cyfarwydd a mawr ei barch o Gymru, a hynny ym mhob cwr o'r byd.

Cafodd sylwadau'r Arglwydd Callaghan gryn ddylanwad. Defnyddiodd tîm buddugol Richard Rogers y geiriau'n ysbrydoliaeth ac yn anogaeth. O dan arweiniad Ivan Harbour a'r Arglwydd Rogers ei hun, bwriwyd ati i greu gofod i bobl ymgynnull, a hynny mewn adeilad ymarferol ac ynddo le syml ac egnïol i roi democratiaeth ar waith. Drwy fod yn agored ac yn hygyrch, y nod oedd datgan delfryd o arweinwyr sy'n gwrando mewn lle llawn pobl.

Mae'r Senedd yn sefydliad cenedlaethol, ond yn llwyddiant artistig ar ben hynny. Yn ei cheinder, mae rhythm. Mae'n perthyn i'r hyn sydd o'i hamgylch. Y tu ôl i wyneb gwydr yr adeilad, mae cromlin y to'n creu portico sy'n ymddangos yn rhan o'r wybren ei hun. Hyd y nenfwd, gwelwn donnau cerfiedig sy'n dyrchafu'n golygon tua'r entrychion. Mae'r cyfuniad o wydr, dur, llechi a phren i gyd yn cyfrannu at greu drama llawn gofod a golau, a hynny mewn man lle daw holl leisiau Cymru ynghyd.

Yn y llyfr sylwadau, mae edmygedd syfrdan sawl ymwelydd i'w weld yn glir.

Mynnodd y Cynulliad y dylai'r adeilad fod yn un effeithlon a gwyrdd, a hwnnw'n arbed ynni. Mae'r systemau dŵr, gwresogi, oeri ac awyru i gyd yn perthyn i'r unfed ganrif ar hugain. Felly hefyd y goleuo a'r tanwydd. Y gair mawr yw naturiol, a'r pwyslais ar olau dydd ac awyr iach.

Ar y llawr uchaf, mae'r twndis ysblennydd o goed cedrwydd sy'n troelli tua'r nenfwd yn ein hatgoffa o fan cyfarfod. Fel coeden ar sgwâr y pentref, o bosibl. Chwareus o athrylithgar oedd rhoi i'r twndis goler o wydr, gan adael i ymwelwyr sbecian i lawr i'r Siambr oddi tanynt. Siambr ddigidol a modern yw hon, lle gall Aelodau'r Cynulliad bleidleisio mewn un ennyd electronig.

Jig-so'r Bae; glannau'r dŵr, y Senedd, y Pierhead, Canolfan Mileniwm Cymru a basn hirgrwn cyntaf doc Bute

Yn sicr ddigon, byddai'r awyrgylch glòs sydd yma wedi bod wrth fodd Winston Churchill, a honnodd unwaith fod siambr fechan ac ymdeimlad o agosrwydd yn anhepgor er mwyn cynnal trafodaethau seneddol o bwys.

Yn hanes Cymru, mae'r Senedd yn fan cychwyn ac yn fan gadael, yn ddiwedd ar un siwrnai ac yn ddechrau ar un arall. Un o amcanion y lle bendigedig hwn yw annog pobl i ysgwyddo cyfrifoldeb mewn ffordd ehangach. Mae hynny'n deillio o'r hunan-barch sydd ar gynnydd ledled y wlad. Beth bynnag sy'n mynd rhagddo yn y lle hwn, rhaid iddo gyflawni'r nod a oedd yn sail i greu'r Senedd yn y lle cyntaf. Yn sgil hynny, bydd penderfyniadau'n cael eu rhoi fwyfwy yn nwylo pobl Cymru.

Ychydig flynyddoedd yn ôl, prin y byddai modd breuddwydio'r olygfa sydd o'n blaenau heddiw. Gobeithion a dyheadau'n unig oedd y Senedd a ddaeth yn ganolbwynt i'r gweddnewid hynod a fu ym Mae Caerdydd.

Canlyniad tyngedfennol refferendwm datganoli 1997 a roddodd ddechrau ar y cyfan. Roedd rhaglith Deddf Llywodraeth Cymru 1998 mor glir ag y gallai fod: Bydd Cynulliad i Gymru.

Y flwyddyn wedyn, agorodd y Frenhines y Cynulliad Cenedlaethol mewn siambr dros dro ym mloc gweinyddol Tŷ Crughywel – Tŷ Hywel erbyn hyn. Yn 2000, daeth y gwaith adeiladu i ben ar forglawdd Bae Caerdydd. Morglawdd oedd hwn a gronnai aberoedd afonydd Taf ac Elái gan foddi glannau a fflatiau llaid cefngrwm Caerdydd o dan lyn dŵr croyw 500 erw. Yn 2004, codwyd llenni llwyfannau Canolfan Mileniwm Cymru: canolfan gelfyddydol, operatig a cherddorol o'r iawn ryw. Ddwy flynedd yn ddiweddarach, daeth y Frenhines i agor y Senedd gan roi darn olaf y jig-so yn ei le a chwblhau'r cilgant o adeiladau sy'n sefyll ar ochr ddwyreiniol glannau'r dŵr yn y Bae.

Ochr yn ochr ond ganrif ar wahân: adeilad y Pierhead a godwyd ym 1897 a'r Senedd a godwyd ym 2006, urddas Fictoraidd a gofod modernaidd yn creu drama bensaernïol

Ar wahân i'w diben cenedlaethol a gwleidyddol, mae'r Senedd yn lle sy'n denu ymwelwyr. Ar ei llwyfan o lechi'r mynydd, mae'n wynebu'r gorwel a gwyntoedd y de-orllewin. Mae'n anadlu'r môr a'r awyr. O'r ardal ymgynnull yn nhu blaen yr adeilad, a thrwy'r waliau grisial, mae'r olygfa'n agor ar Fae Caerdydd, Trwyn Penarth, eglwys Awstin Sant a'r morglawdd. A'r tu hwnt i hynny, dacw donnau môr Hafren yn y pellter.

Mae hyn yn gweddu i'r dim. Yng ngolwg y môr, mae cyfle i fyfyrio. Gwlad ar yr Iwerydd yw Cymru a chanddi draddodiad morwrol hir. Yn wir, dŵr hallt sy'n rhoi iddi dri chwarter ei ffiniau. Mae'r Senedd yn sefyll mewn llecyn enwog lle daeth y diwydiant glo a'r cefnfor ynghyd. Yma y mae gwreiddiau dinas a hanes. Ac o'r pentir hwn y mae Cymru wyneb yn wyneb â'r byd.

Yn dyst ar lannau'r dŵr: adeilad y Pierhead a thro ar fyd. Morglawdd Bae Caerdydd ym mhen uchaf y llun; Tŷ Hywel, y Senedd a mynedfa'r hen Ddoc Dwyreiniol ar y chwith; Canolfan Mileniwm Cymru; mynedfa a basn y Doc Gorllewinol; Gwesty Dewi Sant yn y canol; a ffordd osgoi Butetown yn croesi afon Taf yn y gornel dde uchaf

Rhywfaint o gefndir

02

Byddai strwythur gwleidyddol newydd Cymru yn ddechreuad yn ogystal ag yn adfywiad. Dyna a bwysleisiai'r briff a roddwyd i benseiri'r Senedd. Gwelwn yn sicr draddodiad o fwrw ati o'r newydd yn wyneb pob anhawster. Mae dyfalbarhad, dycnwch a diwygio yn eiriau sy'n perthyn i hanes Cymru ers dros 1,600 o flynyddoedd.

Mae gwreiddiau Cymru a'r Gymraeg i'w canfod yn y cyfnod wedi i'r Rhufeiniaid adael Prydain yn ôl yn y bedwaredd ganrif. Erbyn y seithfed ganrif, galwai'r bobl eu hunain a'u cydwladwyr yn Gymry. Tarddai'r enw 'Welsh' yn yr un modd o'r gair Sacsonaidd am ddieithriaid neu estroniaid. Ymhen canrif, roedd y brenin Offa o Loegr wedi codi'r clawdd a roddodd i Gymru ei ffin ddwyreiniol. Pan aeth Hywel Dda ati i gydgyfnerthu holl gyfreithiau'r Cymry yn y ddegfed ganrif, roedd yn arwydd digamsyniol o genedligrwydd y wlad.

Llwyddodd y Normaniaid i oresgyn Lloegr ac iseldir Cymru mewn dim o dro, ond bu'n ddwy ganrif arall cyn iddynt dawelu brodorion y mynyddoedd. Yn ystod y cyfnod hwn, ffynnodd diwylliant tywysogion Cymru. Tua diwedd yr unfed ganrif ar ddeg, bwriodd mynach ati i gasglu un ar ddeg o chwedlau hynod y Mabinogi oddi ar dafodau'r cyfarwyddion a'u rhoi ar gof a chadw mewn inc.

Maes o wydr: mae'r cerflun hwn yn wledd i'r llygad ac yn lloches rhag gwynt y de-orllewin

Taniodd Owain Glyn Dŵr ymwybod y genedl yn ei wrthryfel yn erbyn rheolaeth Lloegr, a thyrrodd pobl o bob cwr o'r wlad i'w gefnogi. Cyrhaeddodd ei frwydr benllanw ym 1404-5 cyn i wydnwch y Saeson ei drechu. Ymhen canrifoedd, deuai'n arwr cenedlaethol.

Yn sgil cyfreithiau Harri'r VIII ym 1536 a 1542, cyfunwyd Cymru a Lloegr yn un endid cyfreithiol. Bwriwyd ar ben hynny mai Saesneg fyddai iaith y llywodraeth. Anfonodd Cymru ei Haelod Seneddol cyntaf i Lundain ym 1542, ac ar adeg dyngedfennol i'r iaith, llwyddodd ysgolheigion i alw am ddeddf ym 1563 a orchmynnai gyhoeddi fersiwn Gymraeg o'r Beibl. Yng nghyfieithiad William Morgan ym 1588, tarddodd ffrwd ieithyddol a llenyddol a fyddai'n llifo am ganrifoedd. Erbyn y 1730au, teithiai athrawon cylchynol Griffith Jones o fan i fan yn dysgu miloedd o deuluoedd i ddarllen.

Prin fod yr un dref yng Nghymru'n ddigon mawr yn y ddeunawfed ganrif i gynnal carfan o awduron a meddylwyr. Oherwydd hynny, ffynnodd creadigrwydd llenyddol yn Llundain lle byddai criwiau o Gymry'n ymgynnull i ddadlau ac i ddysgu. O'r 1760au, roedd Richard Price, gwleidydd ac athronydd Presbyteraidd o Langeinor, Morgannwg, yn ffigur amlwg yn y mudiad rhyddfrydol. Plediai hefyd achos yr Americanwyr yn eu brwydr am annibyniaeth a hawl pob cymdeithas sifil i'w llywodraethu'i hun.

Wedi'r 1840au, arweiniodd ymdeimlad cryfach o hunaniaeth Gymreig at ymgyrchoedd yn galw am greu sefydliadau cenedlaethol. Rhoddodd hynny hwb newydd i lenyddiaeth a newyddiaduraeth Cymru, ac i'r diwydiant cyhoeddi yn ei dro. Daeth Hen Wlad fy Nhadau, a gyfansoddwyd gan Evan a James James ym Mhontypridd ym 1856, yn anthem genedlaethol. Gydag arian o Gymru, adeiladwyd prifysgol yn Aberystwyth ym 1872. Sefydlodd yr Eisteddfod Genedlaethol hithau ei hun yn brif ŵyl lenyddol y wlad. A bwrw gwreiddiau hefyd fu hanes Prifysgol Cymru ym 1893, Undeb Rygbi Cymru ym 1899, y Llyfrgell Genedlaethol ym 1907 a'r Amgueddfa Genedlaethol ym 1908.

Cryfhau wnaeth gafael siartaeth, rhyddfrydiaeth a sosialaeth yng Nghymru. Yn sgil y penderfyniad ym 1867 i ddiwygio'r drefn bleidleisio, cafodd ffermwyr a gweithwyr gorthrymedig lais. Gwelwyd dylanwad ymneilltuaeth ar wleidyddiaeth a chymdeithas yng Nghymru pan etholwyd Henry Richard, yr anghydffurfiwr, yn Aelod Seneddol Rhyddfrydol ym 1868. Bu gan y blaid honno fwyafrif seneddol yng Nghymru tan 1922. Ac wrth i Lloyd George gamu i'r llwyfan yn y 1890au, cryfhaodd yr ymdeimlad yng Nghymru o gydraddoldeb gwleidyddol â Lloegr.

Cyfrannodd sgiliau a dyfeisgarwch y Cymry yn sylweddol at ehangu diwydiannau ac arbenigedd Prydain. Roedd dwy ran o dair o bobl Cymru yn byw yn ardaloedd diwydiannol Morgannwg a Sir Fynwy. Yn y trigain mlynedd ar ôl 1851, llifodd 360,000 o siaradwyr Cymraeg o gefn gwlad i'r cymoedd er mwyn ymuno â'r rhuthr am lo. Ochr yn ochr â mewnfudwyr o Loegr, Iwerddon, yr Eidal a thu hwnt, cafodd cymdeithas gwbl hynod ei chreu.

Enillodd y blaid Lafur bump ar hugain o'r un ar bymtheg ar hugain o seddi a neilltuwyd i Gymru yn etholiad 1945. O'r cyfnod hwnnw hyd at y 1960au, ar faterion diwydiannol a chymdeithasol y pendiliai'r rhan fwyaf o ddadleuon gwleidyddol y wlad. Fel Lloyd George gynt, roedd Aneurin Bevan a James Griffiths yn amlwg iawn wrth i'r gwaith fynd rhagddo i sefydlu'r wladwriaeth les.

Penderfynodd Winston Churchill greu adran i Gymru yn y Swyddfa Gartref ym 1951. Cafodd Caerdydd ei henwi'n brifddinas Cymru bedair blynedd yn ddiweddarach. Ym 1964, cyhoeddodd Harold Wilson y byddai'n creu swydd Ysgrifennydd Gwladol Cymru a phenodwyd James Griffiths i gyflawni'r dyletswyddau hynny. Ymhen blwyddyn, rhoddwyd cydnabyddiaeth i undod tiriogaethol Cymru yn sgil agor y Swyddfa Gymreig, tra'r aeth yr undebau llafur ati i sefydlu TUC Cymru ym 1973. Ar yr un pryd, roedd Caerdydd yn dal i dyfu fel canolfan wleidyddol.

Dangosodd cyfrifiad 1961 fod nifer y siaradwyr Cymraeg yng Nghymru wedi gostwng yn sylweddol, a hynny i ddim ond 26 y cant o'r boblogaeth. Dyna un o'r ffactorau a sbardunodd ymgyrchoedd iaith y 1960au a'r 1970au. Yn sgil deddfwriaeth, arferion, arwyddion, dogfennau a hysbysebion, bu tro ar fyd dros y deugain mlynedd diwethaf. Mae i Gymru bellach wedd gyhoeddus ddwyieithog gyda masnachwyr, sefydliadau, banciau, siopau a mentrau eraill i gyd yn cyfrannu at hynny. Cynyddu'n arw wnaeth y galw am ysgolion dwyieithog. Cryfhau hefyd fu hanes darlledu yn Gymraeg. Ym 1977, sefydlwyd Radio Cymru a Radio Wales yn orsafoedd ar wahân ar donfeddi'r BBC. Lansiwyd S4C ym 1982. Mae'r cyfryngau drwyddynt draw wedi ysgogi ac wedi adlewyrchu datblygiadau yng ngwleidyddiaeth Cymru. At hynny, mae gan y cnewyllyn o haneswyr yn y wlad bellach gyfrwng i annog diddordeb ehangach yng Nghymru a'i gorffennol, ynghyd â chyfleoedd i ymateb i'r diddordeb hwnnw.

Gwrthododd Cymru gynigion ar gyfer datganoli ym 1979. Parhau wnaeth y dadlau. Erbyn y refferendwm a gynhaliwyd ym 1997, roedd llywodraeth boblogaidd Llafur Newydd a nifer helaeth o bobl ifanc y wlad yn cefnogi sefydlu Cynulliad Cenedlaethol. Ar ôl ymron ugain mlynedd o fod yn rhan o'r Undeb Ewropeaidd, roedd cyd-destun gwleidyddol datganoli wedi newid. Roedd y ffaith bod y glöwyr wedi'u trechu yn streic chwerw 1984-5 hefyd wedi darbwyllo pobl fod angen tro ar fyd. Gyda gogwydd o 30 y cant, pleidleisiodd mwyafrif o 6,721 o blaid datganoli. Golygai hynny sefydlu Cynulliad i Gymru a chanddo bwerau cyfyngedig. Cyfarfu'r Cynulliad hwnnw am y tro cyntaf ym 1999. Erbyn 2006, roedd Deddf Llywodraeth Cymru wedi rhoi i'r Cynulliad bwerau deddfu a arweiniodd at gymeradwyo Mesur cyntaf y Cynulliad Cenedlaethol ym mis Mai 2008. Hon oedd y gyfraith gyntaf i'w phasio yng Nghymru ers dyddiau Hywel Dda yn y ddegfed ganrif.

1999–2009

Darlun o gyfoeth: y dociau ffyniannus ym 1886. Afon Taf, camlas Morgannwg a Butetown, y Dociau Gorllewinol a Dwyreiniol, cledrau'r rheilffordd yn y canol, a Doc y Rhath yn cael ei adeiladu yn y gornel dde isaf

Y ddinas gyntaf

03

Ei thwf mawr yn oes Fictoria a arweiniodd at sefydlu Caerdydd yn ddinas gyntaf Cymru. Erbyn diwedd yr ugeinfed ganrif, roedd hi'n brifddinas Ewropeaidd ac yn ganolfan i lywodraeth, busnes ac addysg. I'r fan hon y trôi golygon y genedl. Ar drothwy'r unfed ganrif ar hugain, roedd yn gartref amlwg i Gynulliad Cenedlaethol Cymru.

Caer ar afon Taf: dyna darddiad yr enw. Yn ôl yn y ganrif gyntaf, cododd y Rhufeiniaid gaer o bren ar lannau'r afon er mwyn diogelu'r llecyn croesi. Erbyn y bedwaredd ganrif, roedd yno waliau newydd yn amgylchynu naw erw o dir. Ym 1081, gorchmynnodd Wiliam y Concwerwr godi amddiffynfa ochr yn ochr â'r meini Rhufeinig, cyn i lywodraethwr Normanaidd Caerdydd fwrw ati ganrif yn ddiweddarach i godi'r gorthwr deuddeg ochr o galchfaen a welwn heddiw.

Poblogaeth o ryw 2,000 o drigolion oedd gan Gaerdydd am y rhan fwyaf o'r 750 o flynyddoedd rhwng goresgyniad y Normaniaid a datblygiadau mawr oes Fictoria. Ar wahân i grafangau'r Pla Du, ymosodiadau Owain Glyn Dŵr a chythrwfl y Rhyfel Cartref, tref ddigon tawel a di-nod oedd hon. Bodlonai'i phobl ar fasnachu ŷd, menyn, defaid a halen gyda'u cymheiriaid ym Mryste a Gwlad yr Haf. Roedd gwir dynged Caerdydd yn dal i aros amdani yn y llosgfynydd diwydiannol a oedd ar fin ffrwydro. Blwyddyn nodedig oedd honno ym 1798 pan ddaeth meistri haearn Merthyr Tudful i ben â gwaith adeiladu camlas bum milltir ar hugain o hyd i aber afon Taf. Anfonwyd badau ar hyd y gamlas yn drymlwythog o haearn, ac yn gynyddol felly, o lo. Yn y 1820au, dangosodd tirfesuriadau i ail ardalydd Bute fod yno gyflenwadau anferth o lo, a chyfoeth yn sgil hynny, yn gorwedd o dan ei ystadau yn y de. Gwelai gyfyngiadau'r gamlas, a bwriodd ati i adeiladu ei ddoc mawr enwog a fyddai, erbyn 1839, yn allforio haearn a glo wrth y tunelli.

Ym 1851, penderfynodd y Morlys mai glo stêm Cymru fyddai'n gyrru llongau rhyfel newydd Prydain. Glo oedd hwn a gynhyrchai wres neilltuol o uchel a phrin oedd y mwg a ddeuai ohono i dduo'r gorwel. Yn rhannol yn sgil penderfyniad y Llynges, datblygodd marchnad fyd-eang am y glo hwn ac agorodd teulu Bute ragor o ddociau ym 1859, 1874 a 1877. Erbyn 1860, dramor yr âi tair rhan o bump o holl lo Cymru. Yn wir, roedd y gair 'Cardiff' ei hun ar y cargo yn ddigon i sicrhau prisiau uwch.

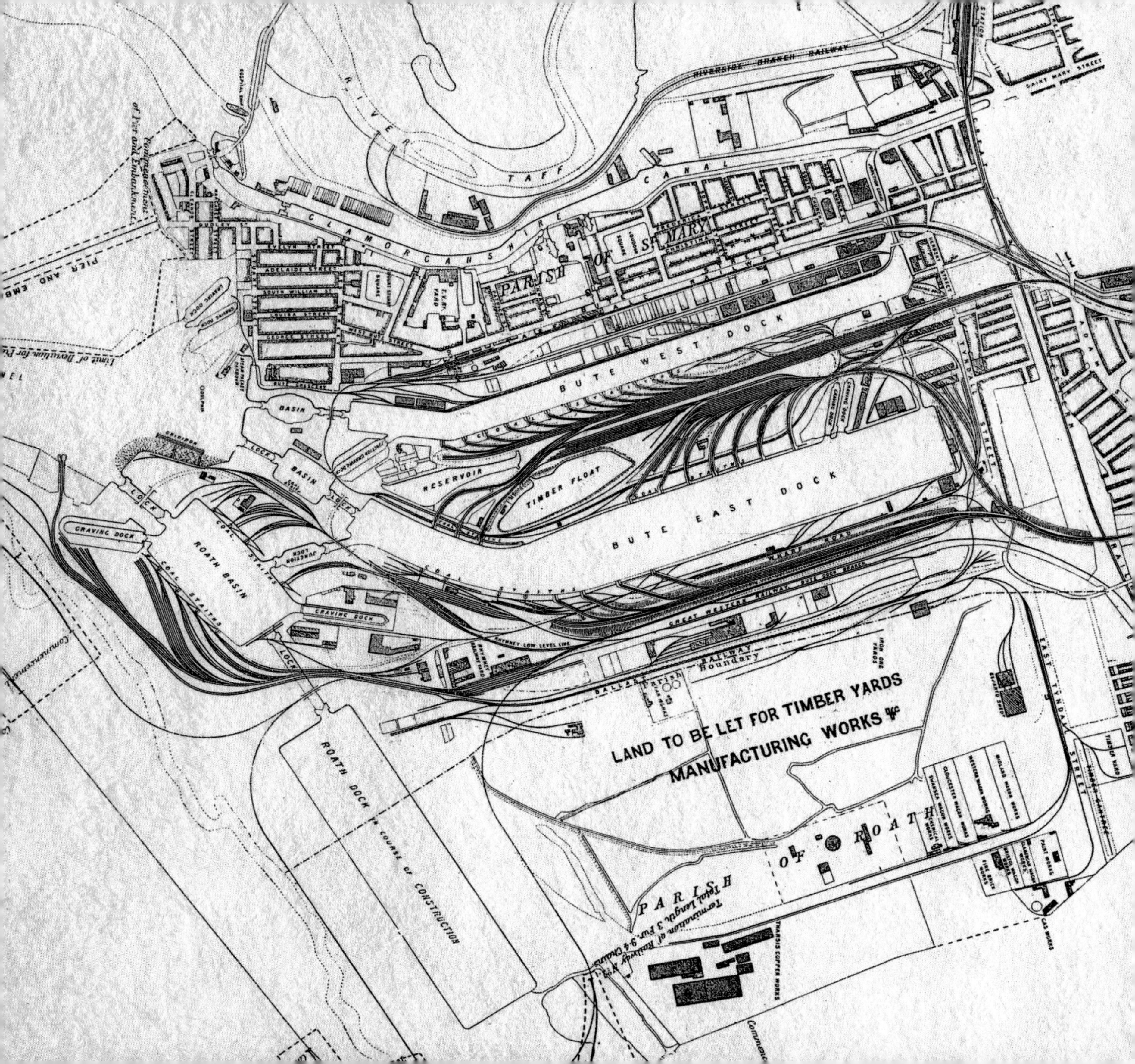

LAND TO BE LET FOR TIMBER YARDS
MANUFACTURING WORKS &c
BUTE WEST DOCK
BUTE EAST DOCK
TIMBER FLOAT
RESERVOIR
ROATH DOCK IN COURSE OF CONSTRUCTION
ROATH BASIN
BASIN
LOCK
COAL STAITHS
GRAVING DOCK
JUNCTION LOCK
EAST TYNDALL STREET
TYNDALL STREET
GREAT WESTERN
ADAM STREET
SAINT MARY STREET
HERBERT STREET
JUNCTION CANAL
CANAL
RIVER TAFF
GLAMORGANSHIRE
LOUDOUN SQUARE
MOUNT STUART SQUARE
T.V. RY. YARD
PARISH OF ST MARY
PARISH OF ROATH
RIVERSIDE BRANCH RAILWAY
STATION
IRON ORE YARDS
ESPARTO SHED
PAINT WORKS
GAS WORKS
MIDLAND WAGON WORKS
WESTERN WAGON WORKS
GLOUCESTER WAGON WORKS
SWANSEA WAGON WORKS
BRISTOL WAGON WORKS
FIRE BRICK WORKS
CHEMICAL WORKS
THARSIS COPPER WORKS
TIMBER YARD
RHYMNEY RAILWAY YARD
RHYMNEY LOW LEVEL LINE
GREAT WESTERN RAILWAY
WHARF ROAD
RAILWAY Boundary
BALLAST
STEAM PACKET HARBOUR
DOLPHIN
HOSPITAL SHIP
GRIDIRON
Commencement of Pier and Embankment
PIER AND EMB
Limit of Deviation for Pi
Commencement
Termination of Railway No. 1 Total Length 3 Fur. 9.4 Chains

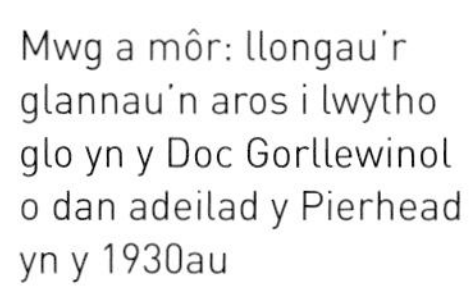

Mwg a môr: llongau'r glannau'n aros i lwytho glo yn y Doc Gorllewinol o dan adeilad y Pierhead yn y 1930au

Ddydd a nos, yn ôl ac ymlaen yr âi'r trenau glo. Tyfodd yr iardiau trefnu'n fwy ac yn fwy wrth i Gaerdydd a'r meysydd glo ddod yn ganolfan ynni i'r holl fyd. Yng nghymoedd y Rhondda y ceid y cloddio prysuraf ar wyneb daear. Rhwng 1851 ac 1901, chwyddodd poblogaeth Caerdydd o 20,000 i 160,000, a'r twf anhygoel hwnnw a arweiniodd at fedyddio'r dref yn 'Chicago Cymru'. Roedd y glo'n gwarantu cyflogau a chyffro, a rhoddai ddewis arall i'r rheini a ystyriai ymfudo dros yr Iwerydd. Bellach, roedd gobaith i bobl a theuluoedd Cymru, a gobaith i Gymreictod yn ei sgil. Ym 1886, agorwyd y Gyfnewidfa Lo enfawr yng Nghaerdydd. Ym mhrysurdeb di-baid y fan hon y byddai masnachwyr yn pennu holl brisiau glo Prydain a'r byd. Yma hefyd, ym 1907, y llofnodwyd y siec gyntaf erioed am filiwn o bunnau, sef tua £90 miliwn yn arian heddiw.

Ym 1898, cytunodd cyngor Caerdydd y byddai'n talu £160,000 i drydydd ardalydd Bute am ymron drigain erw o dir ym Mharc Cathays. Yn y fan hon y codwyd y ganolfan ddinesig harddaf ym Mhrydain. Safai Neuadd y Ddinas, campwaith Faróc y dylunwyr Lanchester, Stewart and Rickards, yn adlewyrchiad o hyder yr oes ac yn batrwm o adeilad Edwardaidd urddasol. Gerllaw, safai'r Llysoedd Barn, yr Amgueddfa Genedlaethol, Neuadd y Sir a Choleg y Brifysgol. Adeiladau mawreddog oedd y rhain, wedi'u codi â cherrig Portland claerwyn wrth i rodfeydd a lawntiau a llwyni rhosod flaguro o'u hamgylch. Lle ceid 'Chicago Cymru' gynt, ym Mharc Cathays bellach y safai 'Washington Cymru'.

Cyflenwadau rhyfel: awyren ymladd Hurricane yn Nociau Caerdydd ym 1942

Daeth y Brenin Edward VII i Gaerdydd ym 1905 a rhoi i'r dref statws dinas. Braint fwrdeistrefol oedd hon a oedd yn cadarnhau pwysigrwydd yr ardal fel prif fetropolis Cymru. Serch hynny, prin y golygai Caerdydd, a Chymru'n enwedig, fawr ddim i farwniaid y llongau a'r glo. Arian, nid arweinyddiaeth gymdeithasol, oedd eu diddordeb pennaf hwy.

Cyrhaeddodd y diwydiant glo ei anterth yng Nghaerdydd flwyddyn cyn y Rhyfel Byd Cyntaf. Dangosai drama Eugene O'Neill, Bound East for Cardiff, pa mor gyfarwydd oedd enw'r ddinas wrth iddi gael ei llwyfannu yn yr Unol Daleithiau ym 1916. Ar ôl y rhyfel, talodd Caerdydd a'r cymoedd yn hallt am eu dibyniaeth ar fwyngloddio ac allforio. Byrhoedlog iawn oedd y ffyniant a welodd y diwydiant llongau. Dechreuodd olew ddisodli glo. Ar ôl 1925, trawyd y cymoedd gan ddirwasgiad economaidd a lwyddodd i dynhau'i afael ar waith, bywyd ac urddas y bobl. Ond â hithau'n ddinas, roedd gan Gaerdydd fomentwm a gwydnwch, a'r gallu i gael ail wynt. Ehangodd yn ganolfan fusnes a siopa, yn gartref i ddiwydiannau ysgafn, ac yn lleoliad amlwg i sefydliadau, colegau a phencadlysoedd gweinyddol.

Penderfynodd teulu Bute adael Caerdydd ym 1947. Yn rhodd i'r ddinas, cynigiwyd y castell ac erwau dirifedi o barciau a rhodfeydd ar lannau'r afon. Ymestynnai rhai o'r rheini cyn belled â Llandaf. Ym 1955, enwodd y Frenhines Gaerdydd yn brifddinas Cymru – ffaith a oedd yn bur amlwg i bawb erbyn hynny. O'r 1960au, tyfodd y ddinas yn ganolbwynt gwleidyddol a gweinyddol. Daeth yn ganolfan i sefydliadau cenedlaethol, addysgwyr, darlledwyr, y cyfryngau a chyrff diwylliannol fel ei gilydd.

A chanddi boblogaeth o 320,000, mae Caerdydd yn gartref i un o bob naw o ddinasyddion y wlad. Yn sgil ymfudo mewnol, mae ganddi gysylltiadau cryfach â gweddill Cymru nag a fu. Gyda'i phrifysgol, ei hysgol feddygaeth, ei cholegau, ei chyfleoedd cymdeithasol, ei swyddi a'i hadloniant, mae nifer o bobl ifanc wedi penderfynu mai dyma'r lle i astudio, gweithio a byw. Oherwydd hynny, mae Caerdydd wedi dod yn ddinas fywiocach a mwy egnïol, yn fwy atyniadol ac yn fwy Cymreig ei hysbryd. Ym 1998, dywedodd Ron Davies, yr ysgrifennydd gwladol ar y pryd, fod rhesymau grymus dros ddod â'r Senedd i Gaerdydd. Un o'r rheini oedd y ffaith bod Cymru wedi buddsoddi deugain mlynedd yn ei hyrwyddo'n brifddinas y wlad. Ym Mhrydain ac yn Ewrop, mae'r hen gaer ger yr afon yn dal i roi llais i Gymru. Mae Caerdydd, mewn gair, yn lle o bwys.

Ynni ar daith: wagenni glo a iard drefnu ger Doc y Rhath ym mis Mawrth 1927

Cyndadau Caerdydd

Yr ardalydd dirgel: John Patrick Crichton-Stuart, 1847-1900, un o sylfaenwyr Caerdydd, adeiladwr brwd, arwr y nofel Lothair gan Disraeli, a thrydydd ardalydd Bute

Golwg oddi fry ar y Pierhead: mae'r Doc Gorllewinol ar y chwith a'r fynedfa i'r Doc Dwyreiniol ar y dde isaf – lle mae'r Senedd bellach. Mae'r Eglwys Norwyaidd yn ei lleoliad gwreiddiol yng nghanol y llun

Mae dylanwad un dyn i'w weld yn drwm iawn ar Gaerdydd, yn fwy felly nag ar yr un ddinas arall ym Mhrydain. John Crichton-Stuart yw hwnnw, ail ardalydd Bute a'r gŵr a aeth ati i greu ei chwyldro diwydiannol ei hun wrth droi Caerdydd yn ganolfan ynni i'r holl fyd. Yn sgil y glo, y dociau a'r rheilffyrdd, daeth yn ŵr eithriadol gyfoethog. Mae chwarter pobl Cymru'n byw ar dir a arferai fod yn eiddo i deulu Bute.

Albanwyr oedd y Butes a briododd â chyfoeth o Gymru a Lloegr cyn dod yn amlwg iawn ym mywyd Caerdydd rhwng 1766 a 1947. Dim ond un ar hugain oed oedd yr ail ardalydd pan etifeddodd ystadau'r teulu ym 1814. Er na fyddai'n ymweld â Chymru'n aml, byddai'n anfon gohebiaeth yma'n ddi-baid, llawer ohoni at ei asiant a oedd hefyd yn glerc y dref yng Nghaerdydd. Yn wir, anfonodd ato chwe llythyr y dydd am bum mlynedd ar hugain, gan orfod arddweud y rhan fwyaf o'r rheini gan ei fod yn fyr iawn ei olwg. Yn y cyfamser, byddai'n ymroi i weithio dros achosion dyngarol a'r mudiad gwrth-gaethwasiaeth. Pan adawai ei gartref yn yr Alban i ymweld â Chaerdydd, byddai'n aros yn ei gastell ac yn gofalu bod ei brydau bwyd yn cael eu danfon draw o westy'r Cardiff Arms.

Mentrodd dalu'r swm anferth o £350,000 i adeiladu Doc Gorllewinol Bute, y prosiect peirianyddol mwyaf o'i fath a welodd y byd. Agorwyd hwnnw ym mis Hydref 1839. Wedi ei farw ym 1848, daeth ei fab, a'r trydydd ardalydd, yn blentyn blwydd oed cyfoethocaf Prydain. Tyfodd yn ŵr swil a myfyrgar, yn gymaint felly nes bod rhywbeth bron yn ddirgelaidd yn ei gylch. Nid etifeddodd fawr o ddiddordeb mewn busnes gan ei dad. Trodd at Babyddiaeth, prynodd dir ym Mhalestina a gwariodd arian mawr ar gastell Caerdydd. O dan oruchwyliaeth William Burges, yr arlunydd a'r pensaer, gweddnewidiwyd y castell yn gampwaith canoloesol, yn adeilad gwir odidog ac ysblennydd. Dyma oedd uchafbwynt holl yrfa Burges. Saif cerflun o'r ail ardalydd, a thad yr Arglwydd Bute, yn Sgwâr Callaghan. Mae'n wynebu'r gogledd tua'r cymoedd, fel pe bai'n cydnabod ffynhonnell holl gyfoeth y teulu.

DRYDOCK

'Cawsom groeso arbennig gan fy nghyfeillion o Gymru a phob cymorth dan haul'

Edward Evans, swyddog mordwyo

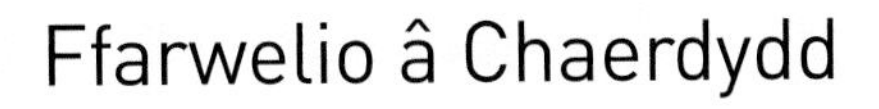

Ffarwelio â Chaerdydd

Galwodd y Terra Nova, y llong a fyddai'n cludo'r Capten Robert Scott i begwn y de, yng Nghaerdydd i godi glo ym mis Mehefin 1910. 'Cawsom groeso arbennig gan fy nghyfeillion o Gymru a phob cymorth dan haul,' ysgrifennodd Edward Evans, y swyddog mordwyo ifanc. 'Angori am ddim, glo am ddim, atgyweirio am ddim, a'r cyfan mor hael.'

Bu Scott a'i swyddogion yn swpera gyda gwŷr busnes yn y Royal Hotel ar 13 Mehefin. Serch hynny, llugoer oedd sylwadau'r Capten Oates, y swyddog marchfilwyr a fu farw gyda Scott, wrth gyfeirio yn ei ddyddiadur at ymweliad y pwysigion hyn â'r llong yn Noc y Rhath. 'Daeth y Maer a'i griw ar y llong,' meddai, 'a phrin i mi weld erioed y fath giwed – Sosialwyr Llafur ydynt i gyd'. Ymgasglodd tyrfa enfawr i ffarwelio â'r Terra Nova ar 15 Mehefin. 'Sgrechiai miloedd fel pe baent wedi colli arnynt eu hunain,' meddai Tryggve Gran, un o'r Norwyaid yn y tîm. 'Gyrrwyd wagenni rheilffordd i deithio dros linell o ffrwydron dynameit bychain, a chyfrannai cannoedd o longau at y sŵn gyda'u chwibanau a'u seirenau.' Chwifiai baner Cymru o'r Terra Nova wrth i'r llong hwylio ymaith, a chyfeiriodd Edward Evans at 'y berw mawr yng Nghaerdydd.' Gadawodd Scott y llong yn fuan wedi hynny er mwyn ymgyrchu a chodi rhagor o arian, cyn ailymuno â'r criw yn Seland Newydd.

Cyrhaeddodd ef a'i bedwar cydymaith y pegwn ar 17 Ionawr 1912, cyn colli'u bywydau ar y daith yn ôl.

Dychwelodd y Terra Nova i Gaerdydd ym 1913 lle'r oedd y Fonesig Scott a'i mab Peter yn disgwyl amdani. Mae'r binacl, a arferai ddal cwmpas y llong, bellach i'w weld yn y Pierhead. Yng ngherflun Jonathan Williams ar lannau'r dŵr yn y Bae, mae Scott yn tynnu car llusg yn herfeiddiol yn wyneb y lluwchwynt, tra bo wynebau'i gymdeithion i'w gweld yn oer yn yr eira. Mae'r gofeb yn sefyll ger hen loc y doc yr hwyliodd y Terra Nova drwyddo wrth ymadael.

I ben draw'r byd: llong dri mast y Terra Nova. Wedi'i hadeiladu ym 1884, fe bwysai 749 tunnell wrth adael Caerdydd ym 1910 ar ei hail fordaith i'r Antarctig. Suddodd oddi ar arfordir yr Ynys Las ym 1943

Glo am ddim: yr is-gapten Edward Evans a Chapten Scott ar fwrdd y Terra Nova yng Nghaerdydd. Daeth Evans yn enwog ym 1917 wrth frwydro ar HMS Broke yn erbyn llongau rhyfel yr Almaen

Darn o Lychlyn: eglwys haearn y morwyr yn ei lleoliad gwreiddiol, 1955

Yr Eglwys Norwyaidd

Mae'r Eglwys Norwyaidd yn atgof o'r cyfraniad pwysig a wnaed gan filoedd o forwyr o Lychlyn a thu hwnt at hanes Caerdydd. Adeiladwyd a chysegrwyd yr eglwys ym 1868 a hithau'n sefyll rhwng y Dociau Gorllewinol a Dwyreiniol. Mae'r gwasanaethau sydd ar gael yno, yr ystafell ddarllen, y papurau newydd o wledydd Llychlyn a'r darluniau o olygfeydd o Norwy yn golygu ei fod yn lle poblogaidd tu hwnt. Bedyddiwyd Roald Dahl, a anwyd yng Nghaerdydd yn fab i frocer llongau o Oslo, yn yr eglwys hon ym 1916. Caewyd y drysau am y tro olaf ym 1974, ond ailgodwyd yr adeilad gydag arian o Gymru a Norwy gan ei droi'n gaffi ac yn fan cyfarfod.

Y Parma, llong ddur bedwar mast a bwysai 3,091 tunnell. Tynnwyd y ffotograff hwn gan Alan Villiers yng Nghaerdydd ym 1932 ar ôl i'r llong gludo cargo o rawn o Awstralia i Brydain

'A dyna ni wedi angori o'r diwedd. Daeth holl ddihirod, cigyddion, teilwriaid, canhwyllwyr ac atgyweirwyr cwmpasau Caerdydd ar fwrdd y llong tan ei bod yn anodd symud ar hyd y dec. A gŵyr y tollau hefyd, y tu ôl i lygaid niwlog, yn yfed diferion olaf y wisgi ac yn aflonyddu ar griw y llong. Dôi'r mwg i lenwi'n ffroenau o'r llongau stêm oedd wedi'u hangori o'n cwmpas ym mhobman, wrth i ddynion yn eu lifrai swyddogol sgrechian cyfarwyddiadau drwy'r megaffonau. A threnau wedyn yn rhuo dros y pontydd wrth i lwch glo lenwi'r aer. Yng nghanol y cyfan, crwydrai dynion segur i rythu ar lymder yr iardiau a'r mastiau moel, gan dyngu y byddai'n well ganddynt fod yn farw na hwylio mewn llong fel ein llong ni.'

Cyfieithiad o Voyage of the Parma, Alan Villiers, 1932

Tiger Bay

Doc Gorllewinol Bute, yn gynnar yn yr ugeinfed ganrif

Bonedi, hetiau gwellt, hetiau caled, ynghyd â gwisg morwr a gitâr: cert a cheffyl ym Mae Caerdydd yn y dyddiau fu

Ymledai tre'r morwyr yn Tiger Bay ar hyd strydoedd, sgwariau a llwybrau'r ardal rhwng Stryd Bute a chamlas Morgannwg. Ni ŵyr neb darddiad yr enw. Roedd un Tiger Bay eisoes yn Llundain ac un arall yn Georgetown, Guyana. Mae'n ddigon posibl mai morwyr Georgetown a ddaeth â'r enw i Gaerdydd. Neu efallai mai disgrifiad ydoedd o natur afreolus a garw'r morwyr, y tafarndai a'r ogofâu opiwm a oedd yn britho'r lle.

O'r 1850au, roedd y rhan hon o Gaerdydd yn denu morwyr rif y gwlith o Lychlyn, Rwsia, gwledydd y Baltig, yr Eidal, Sbaen, Malta, India, Tsieina, Malaya, Yemen, Gorllewin Affrica, Somalia a'r Caribî. Dim ond yn Llundain y ceid cyfran uwch o drigolion o dramor.

Go brin bod yr enw Tiger Bay wedi ymddangos ar unrhyw fap. Butetown oedd yr enw ffurfiol ar yr ardal, a hithau'n filltir sgwâr o faint. Roedd yn ei hanterth rhwng y 1870au a'r 1920au, er i derfysgoedd hiliol rwygo'r ardal ym 1919. Yn amlach na heb, crwydrwyr a phobl ar y cyrion oedd y morwyr, ond ymgartrefodd a phriododd nifer ohonynt yng Nghaerdydd. Yn sgil hynny, cafodd cymuned Gymreig hollol unigryw ac amrywiol ei chreu, cyn i honno wasgaru'n raddol wrth i'r hen ddociau fynd â'u pen iddynt ac wrth i waith ailddatblygu fynd rhagddo o'r 1960au ymlaen. Diflannodd Tiger Bay, ond mae'r hiraeth am fywyd yr oes honno yn dal yn fyw mewn lluniau, tafarndai a hanesion lliwgar.

Yr her a'r cysyniad

Cnewyllyn syniad: dim ond ambell amlinell a dot oedd ar fraslun y pensaer Ivan Harbour o'r Senedd. Mae'r adeilad yn codi o lannau'r dŵr ar y dde. Gwelwn y to'n arnofio gyda'r twndis ar y chwith a'r siambr drafod oddi tano

04

Roedd cryn waith meddwl gan yr hanner cant a phump o benseiri rhyngwladol a fentrodd roi cynnig ar ddylunio'r Senedd. Gofynnai'r briff am fwy na siambr drafod yn unig. Y nod oedd creu sefydliad gwleidyddol a chynrychioladol cyntaf Cymru, yn dra gwahanol i balas San Steffan. Roedd angen datgan ar ben hynny mai yn yr adeilad hwn y byddai fforwm gwleidyddol newydd y wlad.

Ar y panel beirniadu, dewiswyd pump o gynrychiolwyr o blith y cyhoedd ynghyd â dau gynghorwr pensaernïol. Y cadeirydd fyddai'r Arglwydd Callaghan, y cyn-brif weinidog. Pwysleisiodd ef y byddai etholiadau cyntaf Cynulliad Cenedlaethol Cymru ym 1999 yn ddechrau ar 'gyfnod unigryw yn hanes cyfansoddiadol y genedl'.

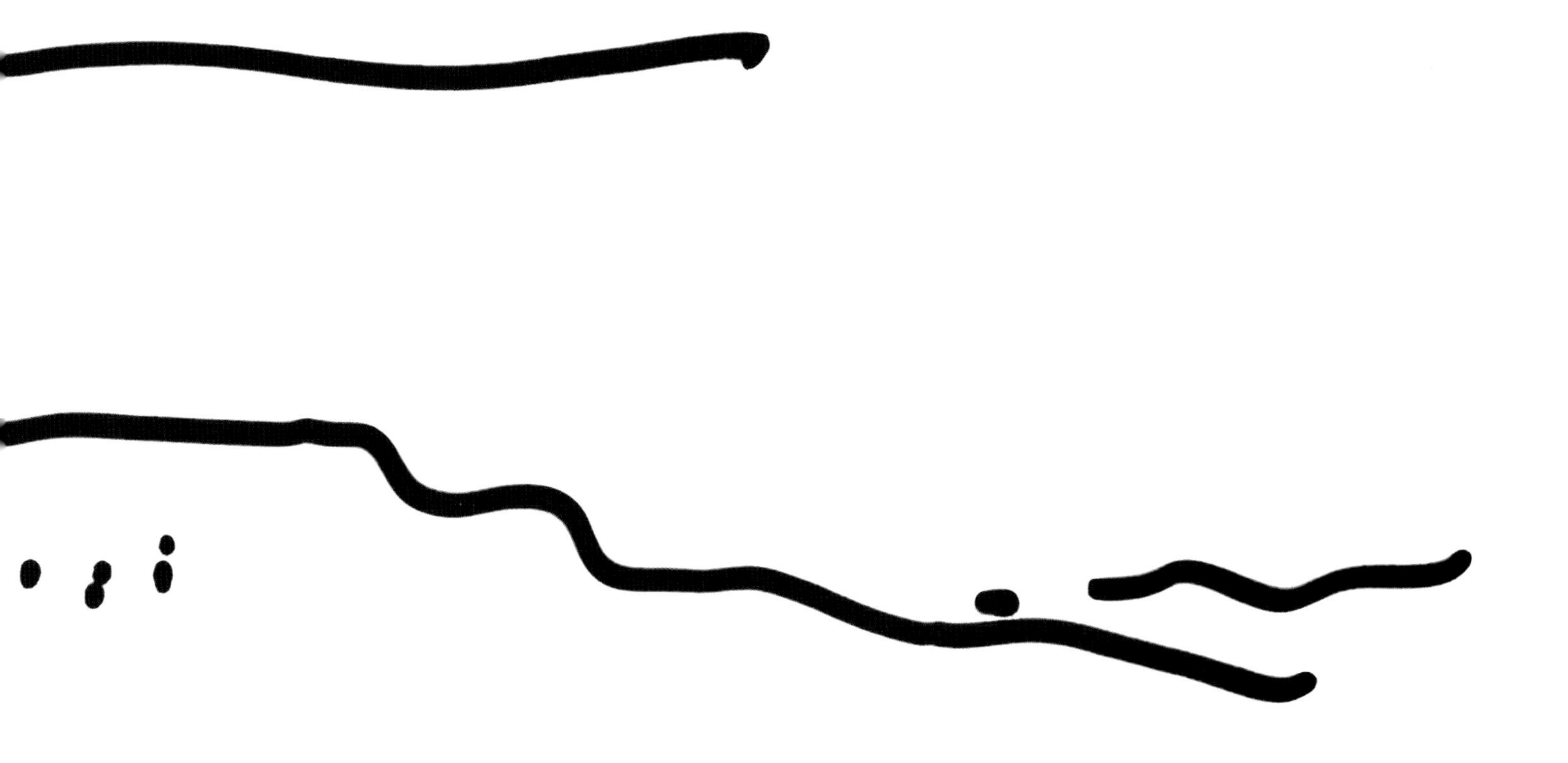

'mae'n gwneud y broses ddemocrataidd yn un agored a hygyrch'

Ym mis Hydref 1998, trafododd y panel restr fer o chwe dyluniad, cyn dewis y cysyniad a gynigiwyd gan bartneriaeth Richard Rogers, sef Rogers Stirk Harbour + Partners erbyn hyn.

Aeth Ivan Harbour, y partner a arweiniai'r prosiect, ati i dynnu'r brasluniau cyntaf o neuadd wydr a honno'n sefyll rhwng y môr a'r awyr. Byddai yno risiau'n arwain o lan y dŵr at blinth, yn ogystal â tho ysblennydd yn cysgodi mannau dymunol y tu mewn a'r tu allan. Dywedodd Harbour y byddai'r adeilad 'wedi'i angori'n gadarn ar lan y dŵr, gan allu datblygu'i hunaniaeth yn annibynnol ar yr adeiladau eraill o'i amgylch ... Mae'r terasau'n creu mannau a fydd yn denu pobl i'r adeilad ... gan wneud y broses ddemocrataidd yn un agored a hygyrch'.

Ysgrifennodd faniffesto hefyd, yn disgrifio'r bwriad o greu adeilad a fyddai:

- Yn symbol o ddemocratiaeth ac yn annog y cyhoedd i gyfrannu at y broses honno
- Yn hygyrch gan fod modd deall y cysyniad yn rhwydd
- Yn rhoi cyfle i weld y Cynulliad wrth ei waith
- Yn creu mannau heb ormod o furiau a choridorau
- Yn cynnwys nodweddion sy'n llesol i'r amgylchedd
- Yn rhad ar ynni drwy fanteisio i'r eithaf ar olau dydd
- Yn agored ac yn perthyn i'r hyn sydd o'i amgylch
- Yn gysyniad hyblyg sy'n gallu newid
- Yn ddiogel oherwydd cynllunio da
- Yn mynegi hanfod y sefydliad newydd

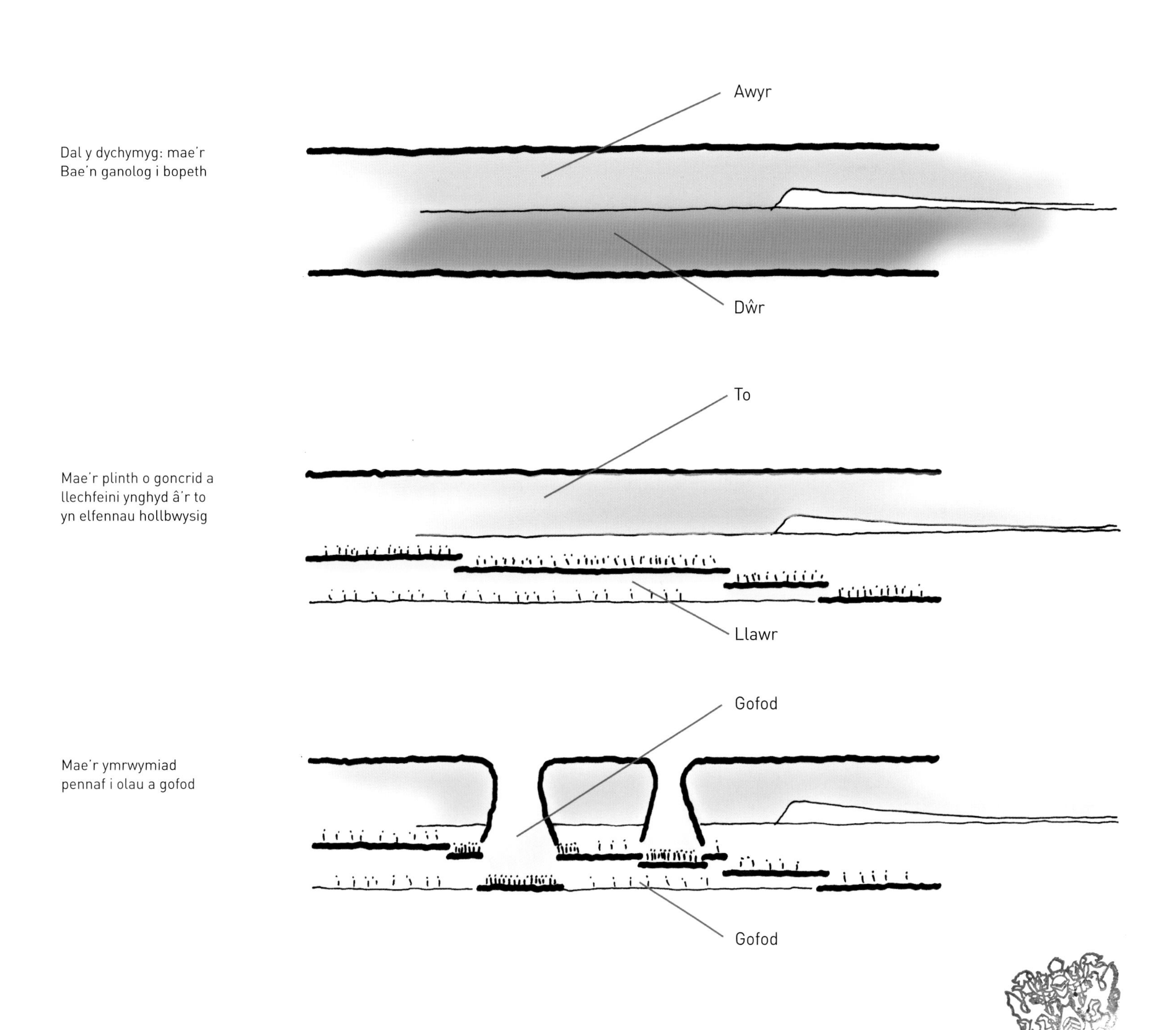

Dal y dychymyg: mae'r Bae'n ganolog i bopeth

Mae'r plinth o goncrid a llechfeini ynghyd â'r to yn elfennau hollbwysig

Mae'r ymrwymiad pennaf i olau a gofod

Ivan Harbour

Ymunodd Ivan Harbour, y partner yng nghwmni Richard Rogers a oedd yn gyfrifol am y Senedd, â'r practis ym 1985.
Ei brosiect cyntaf oedd adeilad Lloyd's of London yn ardal ariannol y ddinas, cyn iddo arwain prosiect Llys Hawliau Dynol Ewrop yn Strasbourg ym 1995 a Llysoedd Barn Bordeaux ym 1998. Datblygodd ei arbenigedd yn cyfarwyddo amryw o brosiectau cymhleth, gan fynnu defnyddio rhesymeg glir yn sail bob tro. Mae'n brofiadol yn y maes ledled y byd.

Mae'r prosiectau a adeiladwyd o dan ei oruchwyliaeth yn cynnwys adeilad Terminal 4 ym Maes Awyr Barajas Madrid, a enillodd Wobr Stirling 2006, a Chanolfan Maggie yn Ysbyty Charing Cross, a enillodd yr un wobr yn 2009. Arweiniodd brosiectau i ddylunio Llysoedd Barn Antwerp, tai fforddiadwy yn Oxley Woods ym Milton Keynes, cynllun adnewyddu ar gyfer ardal Barangaroo yn Sydney, ac adeiladau yn Washington, Qatar, Stuttgart, Taiwan, Seoul, Kyoto a Tokyo, ymhlith nifer o rai eraill. Daeth yn uwch-gyfarwyddwr yng nghwmni Richard Rogers ym 1998. Roedd newid enw'r practis i Rogers Stirk Harbour + Partners yn 2007 yn gydnabyddiaeth i gyfraniad Graham Stirk ac Ivan Harbour.

'mae ffigurau'n eithaf hawdd eu hamgyffred, ond mae'r dyheadau a sut y caiff y rheini eu cyfleu'n fwy cymhleth o lawer'

Sut y gwelaf i bethau: amlinelliad bras cyntaf Ivan Harbour i'w gydweithwyr: braslun o'r to, y llawr, y golau trawiadol a'r twndisau

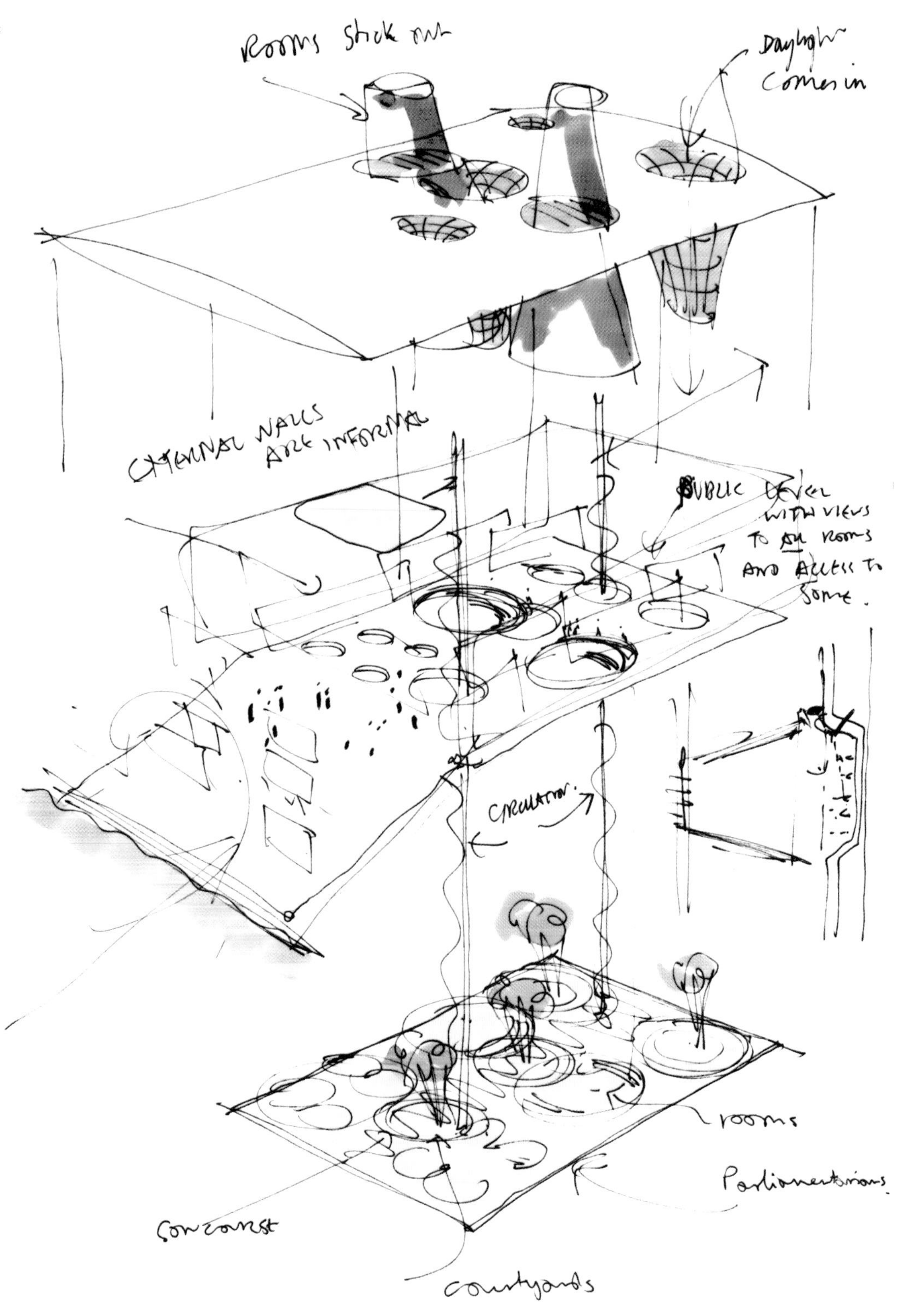

Uwchben y to: yr olygfa tua'r de-orllewin o Dŷ Hywel dros y Bae

Yn ôl yr Arglwydd Callaghan, roedd yr adeilad a ddewiswyd yn 'syml, yn gain, yn ddiwastraff ac yn berl ... Gall ddod yn adeilad gwych, yn un o weithiau pensaernïol enwocaf dechrau'r unfed ganrif ar hugain'.

Roedd y prosiect wedi bod yn llafur cariad i Richard Rogers o'r cychwyn. Prin yw'r penseiri hynny sy'n gallu rhestru seneddau cenedlaethol ymhlith eu llwyddiannau. Hwn oedd y pafiliwn cyntaf i'w gwmni ei ddylunio, y cyntaf i ddefnyddio coed ar raddfa eang, a'r cyntaf i ymrwymo yn y fath fodd i gynaliadwyedd.

Roedd y Senedd yn rhan o'r ail brosiect adfywio mwyaf a welodd ynysoedd Prydain erioed. Gwaith oedd hwn a aeth rhagddo am dair blynedd ar ddeg, o dan arweiniad Corfforaeth Datblygu Bae Caerdydd, i adnewyddu 2,700 erw o dir yn y dociau. Ym mis Ionawr 2000, talodd y Cynulliad bunt am y tir lle saif y Senedd heddiw. Tra oedd yr adeiladwyr wrth eu gwaith, trafodai'r Aelodau mewn siambr dros dro yn Nhŷ Crughywel. Roedd y Frenhines wedi agor y siambr hon ym 1999, gan sôn am 'bont i'r dyfodol' ac am 'fforwm a fydd yn rhoi llais mwy ystyrlon a democrataidd i bobl y tir hynafol a bonheddig hwn'.

Bydded goleuni: golygfa gynnar tua'r de-orllewin ac at Benarth, a'r cysyniad o dri thwndis

Y gwaith adeiladu: y to wedi'i gwblhau; y Neuadd yn dod yn ei blaen; a'r grisiau sy'n arwain at yr Oriel

Fel sy'n anochel o dro i dro gyda gweithiau pensaernïol amlwg, daeth cecru law yn llaw â'r concrid. Ym mis Gorffennaf 2001, rhoddodd y Cynulliad ddiwedd ar y prosiect cyn ei gomisiynu drachefn ddwy flynedd yn ddiweddarach. Y tro hwn, Taylor Woodrow Construction fyddai'r contractwr, ond yr Arglwydd Rogers oedd y pensaer o hyd. Oherwydd ystyriaethau'n ymwneud â diogelwch a rhoi mynediad i bobl anabl, bu'n rhaid addasu tipyn ar y cynllun gwreiddiol. Serch hynny, glynodd y Cynulliad yn driw wrth weledigaeth wreiddiol Rogers ac wrth egwyddor gofod a golau.

Daeth y gwaith adeiladu i ben yn 2006. Ar ôl costio £67 miliwn, agorwyd y Senedd yn swyddogol ar ŵyl Ddewi yng ngŵydd y Frenhines, Tywysog Cymru a gwahoddedigion eraill. Ar yr un pryd, yn arwydd o gyfeillgarwch a thraddodiad, cyflwynwyd byrllysg seremonïol i'r Cynulliad gan senedd De Cymru Newydd.

Gweld y gwres: braslun cynnar yn dangos golau'r haul yn cyrraedd y siambr drwy lusern y twndis. Mae'r aer yn codi ac yn dianc drwy'r fentiau a thrwy'r twndis. Mae'r gwynt dros y to yn peri i'r cwfl droi, gan adael i aer cynnes ddianc ar yr ochr gysgodol

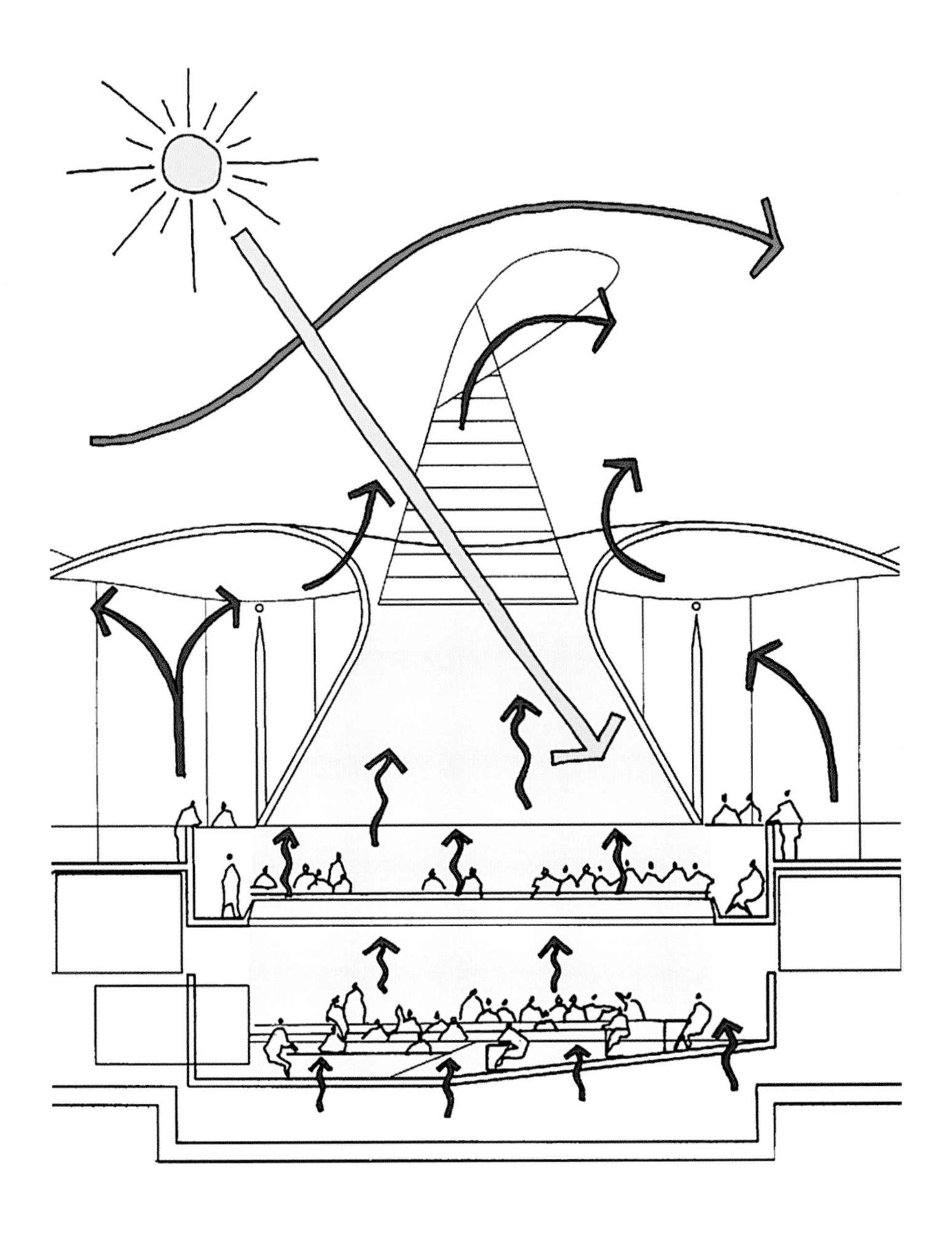

Sgerbwd cain: y Senedd yn dod yn fyw, tudalennau 44/45

Fframwaith hynod: siâp dramatig y twndis dur dros y siambr drafod, tudalennau 46/47

O dan arweiniad Richard Rogers ac Ivan Harbour, roedd yr adeilad yn ateb yr her a roddwyd ym 1998. Roedd yn gweddu i'r dim ac yn cyd-fynd â briff y Cynulliad. Mae siâp y Siambr, er enghraifft, yn golygu nad yw'r aelodau benben â'i gilydd fel y maent yn San Steffan. Mae gofyn i'r Cynulliad roi sylw dyledus i ddatblygu cynaliadwy, a byddai'r systemau modern sy'n arbed ynni wrth fodd pob Cardi da. Nid yw'n adeilad anferth mewn unrhyw ffordd, ac nid yw'n ormesol nac yn taflu'i gysgod yn ormodol. At hynny, mae'n osgoi tynnu'n groes o ran siâp a ffurf. Mae ei rinweddau'n amlwg; mae'n gyfuniad o chwaeth ac urddas, ac yn symbol digamsyniol o Gymru. Dyna, wrth gwrs, oedd y gobaith gwreiddiol. Mae'n edrych yn dda ar gamera ac yn drawiadol tu hwnt ar y tudalennau blaen.

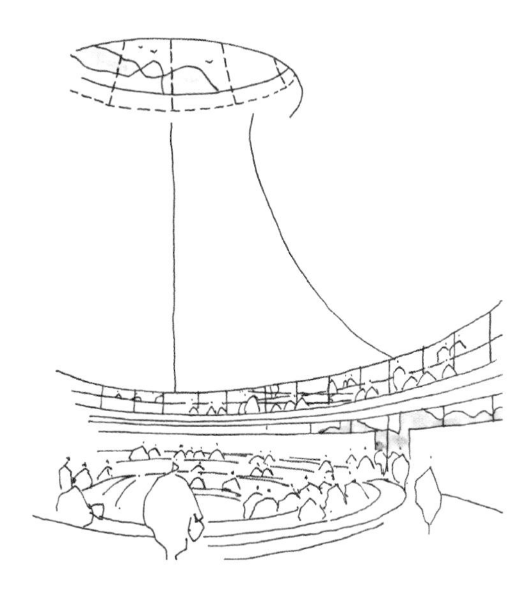

Golygfa ryfeddol: porth mawreddog, ffenestri llydan a bwaog, toeau serth, bylchfuriau, simneiau addurnedig – a phistyllod bargod yn coroni'r cyfan

Tanbaid o goch

05

Gadawodd y llwyth glo olaf Ddoc Gorllewinol Caerdydd ym 1964. Chwe blynedd yn ddiweddarach, roedd y cargo olaf wedi gadael y Doc Dwyreiniol ac oes Bute wedi graddol ddirwyn i ben. Yn sydyn, ymddangosai adeilad mawreddog brics coch y Pierhead yn unig iawn ar y glannau. Erbyn 1980, diffeithdir oedd y rhan fwyaf o ddociau Caerdydd.

Ar fwrdd dylunio William Frame, esblygodd y Pierhead yn gampwaith addurnedig ac yn adlewyrchiad o hyder diwedd oes Fictoria. Fe'i hagorwyd ym 1897 heb wastraffu eiliad ar seremoni. Prysurodd y staff yn ddiymdroi drwy'r drysau am eu desgiau: y clercod a'r cynorthwywyr i ganol pentyrrau o lyfrau cyfrifon ac anfonebau; yr uwch-swyddogion yn eu mwstashis awdurdodol i wneud y penderfyniadau o bwys.

O'r Pierhead y rheolid porthladd glo mwyaf y byd, ac o'u swyddfeydd, roedd y rheolwr cyffredinol a'r Docfeistr yn tra-arglwyddiaethu ar y cyfan. Ond fe'u gyrrwyd hwythau yn eu blaenau gan y cloc. A'r llanw oedd y meistr mwyaf o hyd. Roedd llwyddiant y busnesau yn dibynnu ar lanio a throi ymaith drachefn cyn gynted ag yr oedd modd.

Ysblander y Pierhead: simnai driphlyg, tŵr y cloc a tho siâp diffoddwr canhwyllau

Byddai rhesi hir o wagenni'n cludo glo hyd y cledrau i'r llongau a arhosai amdanynt. Ar eu byrddau, roedd miloedd o halwyr, pwyswyr, storwyr ac arllwyswyr wrthi fel lladd nadroedd yn llenwi'r howldiau. Roedd eu dillad yn ddu o lwch. Ar yr un pryd, deuai cyflenwadau o ddeunyddiau adeiladu a nwyddau ar gyfer y pyllau glo i mewn o wledydd Llychlyn, nes bod yr awyr yn drwch o flas pren yn gymysg â'r mwg a'r stêm.

Er mai oes y stêm oedd hon, nid oedd dyddiau'r llongau hwylio wedi darfod amdanynt yn llwyr. Roedd glannau Caerdydd yn llawn i'r ymylon o fastiau a oedd yn dal i herio gwyntoedd y cefnforoedd. Dibynnai'r Llynges Frenhinol a'r llongau masnachol ar ryw gant a hanner o borthladdoedd codi glo ledled y byd – gan gynnwys rhai yn Aden, Ascension, Ffiji a Trincomalee – a llongau hwylio oedd yn cyflenwi nifer helaeth o'r rhain.

William Frame oedd pensaer trydydd ardalydd Bute, a'r Pierhead oedd campwaith ei yrfa. Costiodd y cyfan £30,000 i'w godi – rhyw £3 miliwn yn arian heddiw. Yn yr un modd â Chastell Caerdydd a'r gaer ffantasïol a adferwyd yng Nghastell Coch, mae'r adeilad yn dyst i hoffter yr Arglwydd Bute o'r steil bensaernïol goeth a wnaed yn boblogaidd gan Augustus Pugin yn San Steffan gynt.

Gwylio'r cychod yn glanio: llong gargo yn cyrraedd y Doc Gorllewinol. Mae'n amser te yn ôl cloc y Pierhead

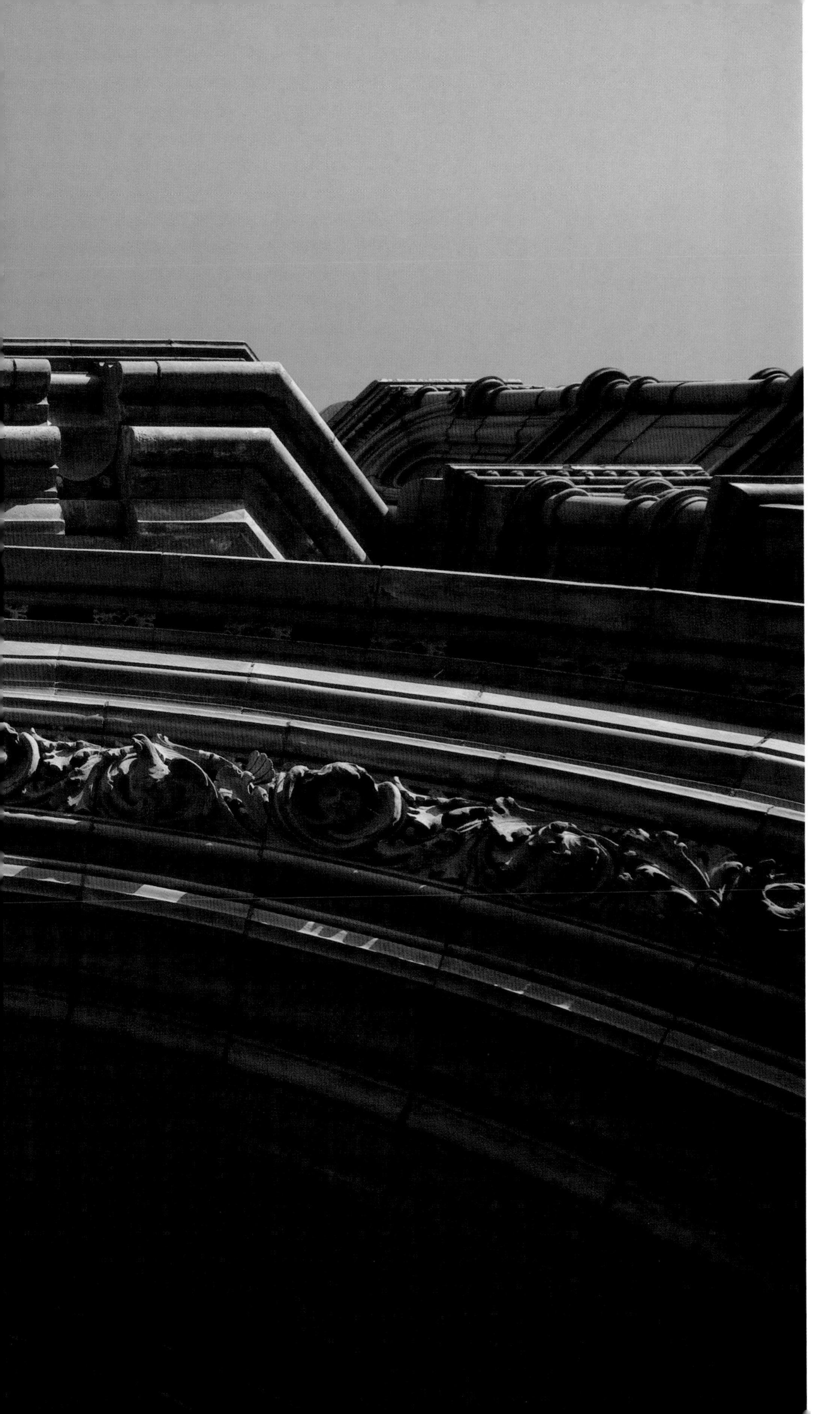

Rhyfeddodau'r porth: addurniadau coeth

'Willum' – cartŵn o'r pensaer William Frame gan Fred Weekes

Rhoddodd Frame rywfaint o naws Ffrengig i batrymau gothig y Pierhead. Roedd y brics fflamgoch ar y waliau wedi'u gwneud o glai Etruria Marl gan J C Edwards o Riwabon, ger Wrecsam. I gyd-fynd â hwy, dewisodd Frame deils melyngoch 'majolica' yr un cwmni, a'r rheini'n efelychu'r llestri pridd a oedd yn boblogaidd yng ngwledydd môr y canoldir. Deuai'r gair 'majolica' o'r enw Eidaleg ar ynys Majorca. Ffafriai llawer o benseiri'r cyfnod y brics coch a'r teils trawiadol hyn wrth godi adeiladau dinesig, llyfrgelloedd, colegau ac ysbytai.

Ochr ddeheuol y Pierhead; yr arfbais coch; y prif risiau

Gwyliwch y bwystfilod: pistyllod bargod a dreigiau

Mae tŵr cloc y Pierhead yn gyforiog o addurniadau urddasol sy'n darlunio brwydrau, pennau llewod, artistwaith herodrol, cyfresluniau, patrymau deiliog a phistyllod bargod. Saif tyredau cromennog bob ochr i fwa'r fynedfa. Ar un o'r waliau allanol, gwelwn arfbais y cwmni, sy'n gyfuniad o gerbyd trên a llong. Mae'r arwyddair – wrth ddŵr a thân – yn deyrnged i'r chwyldro stêm ei hun. Mewn mosaig ar lawr y neuadd fawr, ymddengys y geiriau a'r delweddau drachefn. Mae'r colofnau sy'n cynnal y nenfwd hwythau wedi'u haddurno â rhigolau a theils. Llifa golau dydd drwy'r ffenestri mawreddog. I gyd-fynd â'r grisiau gwenithfaen godidog, gosodwyd canllaw gwyrdd trawiadol ynghyd â theils ysblennydd ar y muriau.

William Frame oedd dylunydd pedwar wyneb cloc y Pierhead hefyd. Gŵr o'r enw William Potts o Leeds a greodd y mecanwaith, cyn i system drydanol newydd gael ei gosod ym 1973. Prynwyd y gyriant gwreiddiol gan gasglwr o Birmingham, Alabama ym 1976, ond daeth hwnnw i feddiant Cyngor Caerdydd yn 2005. Croesawyd yr hen gloc yn ôl i'r ddinas i gyfeiliant ffanffer gan Gatrawd Frenhinol Cymru. Mae'r gloch wreiddiol, sy'n pwyso dros dunnell, yn dal i grogi yn y tŵr er na chaiff ei chanu erbyn hyn.

Aneurin Bevan
There is a universal and justifiable
conviction that the lot of the
ordinary man and woman is much
worse than it need be
Ieuan Brydydd Hir
Hedd Wyn
A gwaedd y bechgyn
lond y gwynt/A'u gwaed
yn gymysg efo'r glaw
Llys Ifor Hael, gwael yw'r
gwedd – yn garnau/Mewn
gwerni mae'n gorwedd
Ann Griffiths
Wele'n sefyll rhwng y myrtwydd

Y tŵr rheoli a'r lle tân: ystafell prif reolwr y dociau

Nid oedd dim wedi'i adael heb ei addurno

Un o bysgod y lle tân

Agorodd y Pierhead wrth i Gwmni Dociau Bute ailsefydlu dan enw Cwmni Rheilffordd Caerdydd, gan obeithio denu rhagor o fuddsoddwyr. Gwelwn restr anrhydeddau ar y llawr gwaelod sy'n deyrnged i'r gweithwyr hynny a fu'n ymladd yn y Rhyfel Byd Cyntaf. Mae sêr du'n dynodi enwau'r rheini a gollodd eu bywydau.

I fyny'r grisiau, steil farwnol Albanaidd sydd i ystafell prif reolwr y dociau, gyda'i phaneli pren a ffenestr lydan yn edrych draw dros yr holl harbwr. Mae'n rhaid dychmygu hwnnw'n fwrlwm o longau a phobl. Ar y nenfwd, mae'r gwaith plastro'n frith o batrymau deiliog. O amgylch y lle tân, ar y tyredau a'r canopïau, cerfiwyd pysgod a pharotiaid ac adar bach, ynghyd â rhagor o ddail drachefn. Dyma'r math o fanylion chwareus y byddai William Frame a'r Arglwydd Bute mor hoff ohonynt. Gweithiai rheolwr cynorthwyol y dociau yn yr ystafell foethus y drws nesaf, ac roedd gan y Docfeistr yntau olygfa drawiadol o'i swyddfa ar y llawr gwaelod.

Yn ystod yr Ail Ryfel Byd, roedd y Pierhead yn dirnod cyfleus wrth i awyrennau'r Luftwaffe anelu'u bomiau. Bu'r Associated British Ports yn defnyddio'r adeilad am gyfnod cyn iddo ddod i feddiant Cynulliad Cenedlaethol Cymru ym 1998. Gwariwyd tua £700,000 yn ei adnewyddu. Bellach, mae'n llawn orielau ac ystafelloedd darlithio. Dyma hefyd ganolfan ymwelwyr y Senedd ac ynddi arddangosfa sy'n adrodd hanes morol Caerdydd. Mae'r Pierhead yn adeilad rhestredig Gradd I drwyddo draw.

Bu William Frame yn cynorthwyo William Burges, pensaer yr Arglwydd Bute, pan adnewyddwyd Castell Caerdydd a Chastell Coch. Fe'i holynodd yn y swydd pan fu farw Burges ym 1881. Mae'n wir bod hoffter Frame o'r ddiod gadarn wedi bod yn dreth ar amynedd ei gyflogwr goddefgar. Ar un achlysur ym 1890, fe'i diswyddwyd, ond teimlai'r meistr iddo fod yn rhy llym ar weithiwr caled a chafodd Frame ei swydd yn ôl. Ni ddaliodd yr un o'r ddau ddig. Pan fu farw'r ardalydd ym 1900, gadawodd £1,000 i Frame yn ei ewyllys, sef rhyw £90,000 yn ein hoes ni. Bu farw Frame chwe blynedd yn ddiweddarach. Mae ei waith a'i gelfyddyd yn dal i roi mwynhad i bobl heddiw.

Hanesion y Pierhead:
mae'r ystafelloedd lle'r
arferai clercod y dociau
a'r rheolwyr weithio
bellach yn fannau
darlithio sy'n llawn
sgriniau ac
arddangosfeydd

Ysblander Fictoraidd o'r iawn ryw: mae'r brif neuadd wedi'i rhannu'n dair gan fwâu mawreddog

Mae glannau'r dŵr yn cynrychioli tair canrif. Roedd y 'dolffiniaid' pren cadarn yn angorfeydd dros dro i'r llongau, tudalennau 62/63

Senedd

06

Wrth ddringo o'r Bae tua'r Senedd, gwelwn y bedwaredd ganrif ar bymtheg yn ildio i'r unfed ganrif ar hugain. Mae'r grisiau o'r rhodfa ar lannau'r dŵr yn cychwyn ger hen borth tywodfaen y Doc Dwyreiniol gynt. Dros y blynyddoedd, llifiwyd rhigolau dirifedi yn y waliau tywyll gan raffau a cheblau degau ar ddegau o longau.

Dechreuwyd adeiladu'r doc yn ôl ym 1852. Pan ddaeth y gwaith i ben ym 1859, roedd yn agos at fod yn filltir o hyd. Mae'r grisiau i'r Senedd yn dringo drwy ran o'r loc môr gwreiddiol, lle byddai llidiardau pren anferth yn dal y cefnfor yn ôl. Yn ystod y 1970au a'r 1980au, aethpwyd ati i lenwi'r loc ynghyd â'r basn a orweddai y tu ôl iddo. Rhaid bodloni, felly, ar ddychmygu prysurdeb yr holl longau a arferai fynd a dod heibio i'r fan lle saif y Senedd heddiw.

Mae gan yr adeilad gymdogion go amrywiol a'r rheini'n cyferbynnu'n gofiadwy â symlrwydd y Senedd. O fewn tafliad carreg i'w gilydd, ceir ysblander trawiadol y Pierhead, to crwban Canolfan Mileniwm Cymru ac ymylon onglog swyddfeydd yswiriant Atradius. Nid nepell i'r de, saif yr eglwys Norwyaidd yn fychan ac yn hardd yn ei muriau gwyn.

Wrth ddilyn y grisiau o'r doc, ceir cofeb ingol ar y dde i'r morwyr a fu farw yn yr Ail Ryfel Byd. O flaen y Senedd, mae baneri'r Cynulliad, Cymru, y Deyrnas Unedig a'r Undeb Ewropeaidd yn chwifio ochr yn ochr yn y gwynt. Mae'r grisiau'n ymuno â'r haenau a'r terasau sy'n arwain at y plinth lle saif y Senedd ei hun.

N TIMES OF WAR

Cofeb ryfel i forwyr y llongau masnach ger yr hen Ddoc Dwyreiniol – man gadael i filoedd o wŷr, tudalennau 66/67

Dros y sylfeini concrid, ceir gorchudd o lechi llwydlas a naddwyd o chwarel Cwt-y-Bugail ger Blaenau Ffestiniog. Mae hwnnw'n cyd-fynd â'r wyneb o lechi sydd ar furiau Canolfan y Mileniwm. Ar gongl ddeheuol y plinth, ceir mainc ar ffurf atalnod, a honno hefyd wedi'i cherflunio o lechi.

Wrth gyrraedd y trothwy, daw'r elfennau dramatig yn gynyddol amlwg gan ein denu'n nes. Yn y man cyfarfod ar y teras llechi, mae'r to'n esgyn i'r entrychion uwch ein pennau, yn bortico cysgodol ar nodwyddau main o ddur, yn feranda eang, yn adain grom, yn gysgod pabell. Yn wir, gall hwn fod yn bopeth. Mae'n amhosibl diflasu ar yr olygfa. A'r hyn sy'n nodedig yw bod y tonnau yn y nenfwd, ynghyd â'r llawr llechi hardd, yn rhan o'r pafiliwn gwydr y tu mewn a'r tu allan ill dau.

Undod: llechfeini
Cymreig o'r chwarel,
gwydr a dur o'r ffwrnais,
a choed cedrwydd o'r
fforest

Rhan hanfodol o'r ddrama bensaernïol: y to adeiniog a thonnog, a chragen gopr Canolfan y Mileniwm yn gefndir

Craig yr oesoedd: llechi o'r chwarel

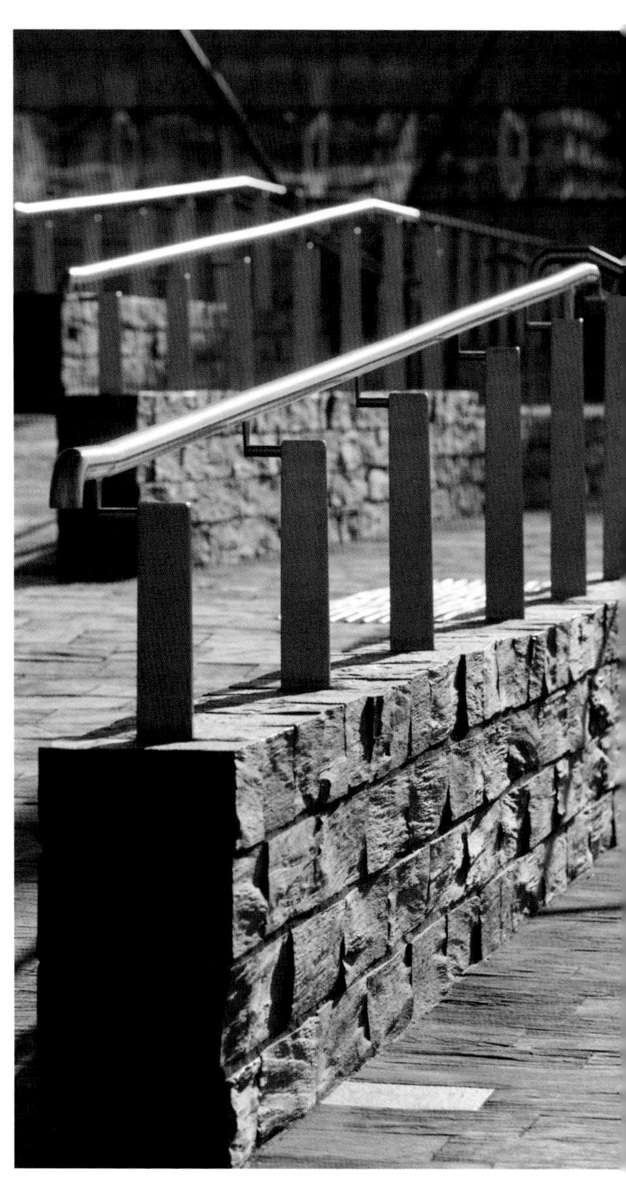

Cerflun gwydr 'Maes y Cynulliad' a grëwyd gan Danny Lane ar ochr orllewinol y Senedd. Yma, mae pum rhes gyfochrog o ddeuddeg ar hugain o elfennau gwahanol yn codi ar grid chweonglog, gan roi cysgod rhag y gwynt. Mae'r cerflun yn newid wrth i chi grwydro o'i amgylch

Mae'r meinciau, y soffas a'r cadeiriau lledr drwy'r holl adeilad yn cyd-fynd â'r ymdeimlad o le modern ac anffurfiol

Rhaid croesi'r ystafell ddiogelwch ar y ffordd i mewn, a honno wedi'i chodi o wydr a choncrid wedi'u hatgyfnerthu. Bu'n rhaid ychwanegu'r elfennau hyn at y dyluniad ar ôl digwyddiadau mis Medi 2001. Tri llawr sydd i'r Senedd, ac mae'r ddau uchaf ar agor i'r cyhoedd. Cerddwn i mewn ar y llawr canol, i ganol ehangder anffurfiol y Neuadd. Mae digonedd o le yn y fan hon i gynnal digwyddiadau, darlleniadau a pherfformiadau cerddorol. O'ch blaen, saif desg wybodaeth a hithau hefyd wedi'i chreu o lechi a gwydr. Dim ond troi yn eich unfan sydd raid i weld holl ddrama'r Bae a'r wybren o'ch ôl: y glannau a'r Pierhead, y cychod ac ambell hwyl ar y dŵr.

Cawn ein harwain i fyny grisiau llechi llydan o'r Neuadd i'r Oriel. Hwn yw'r llawr uchaf ac yma y mae'r caffi. Mae'n ofod arall i bobl ymgynnull ac i gynnal perfformiadau ac arddangosfeydd. Mae'r cadeiriau a'r byrddau'n syml ond yn gain. Yn y fan hon, teimlwn yn nes o lawer at y nenfwd gorchestol o goed cedrwydd. Cafodd y cromliniau a'r chwe chafn hirgrwn eu dylunio â chyfrifiadur er mwyn creu cyfuniad o gywreinrwydd a chadernid. O'r golwg, y tu ôl i'r cyfan, ceir ffrâm ddur sy'n pwyso 420 tunnell a honno'n cynnal y nenfwd oddi fry. Mae colofnau main o ddur yn cynnal y cyfan o'r llawr. Golygfa wefreiddiol yw hon.

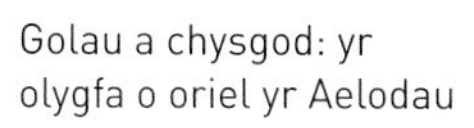

Golau a chysgod: yr
olygfa o oriel yr Aelodau

Llond y lle o bren: coed cedrwydd o Ganada wedi'u crymu'n hardd

Y cylch gwydr a'r olygfa o seddi'r Aelodau

Oriel gyhoeddus y Siambr ac ynddi seddi i 128 o bobl, gan gynnwys lle i'r wasg a chadeiriau olwyn, tudalennau 92/93

Roedd y twndis symbolaidd, sydd i'w weld mor amlwg y tu allan i'r adeilad, yn ymddangos yn y brasluniau cyntaf un. O'r tu mewn, mae'n ymestyn yn ddramatig tuag at estyll pren y ffurfafen. Lle mae'n ymuno â llawr yr Oriel, ceir cylch o wydr sy'n rhoi cip i'r cyhoedd ar eu cynrychiolwyr etholedig islaw.

Llusern a drych, yn manteisio i'r eithaf ar y golau

Desgiau a llawr derw sy'n rhoi acwsteg o'r radd flaenaf

Oddi yma, mae'r twndis yn torri drwy do'r adeilad ac yn ymestyn i'r awyr agored. Mae iddo ddau ddiben hollbwysig, sef goleuo ac awyru'r Siambr. Codwch eich golygon o'r Siambr neu'r oriel gyhoeddus a bydd y wybren yno i'w gweld. Ar y to, ceir llusern bigfain sy'n gyrru golau dydd i lawr drwy'r twndis ei hun. Mae drych o'r un siâp yng nghorn gwddw'r twndis yn adlewyrchu ac yn cryfhau'r golau, ac mae modd ei godi a'i ostwng yn ôl y galw. Y tu mewn i'r twndis, ceir rhesi o fodrwyau alwminiwm llorweddol – pedwar ugain a naw ohonynt i gyd – sy'n rhoi mwy o olau pan fydd angen hynny.

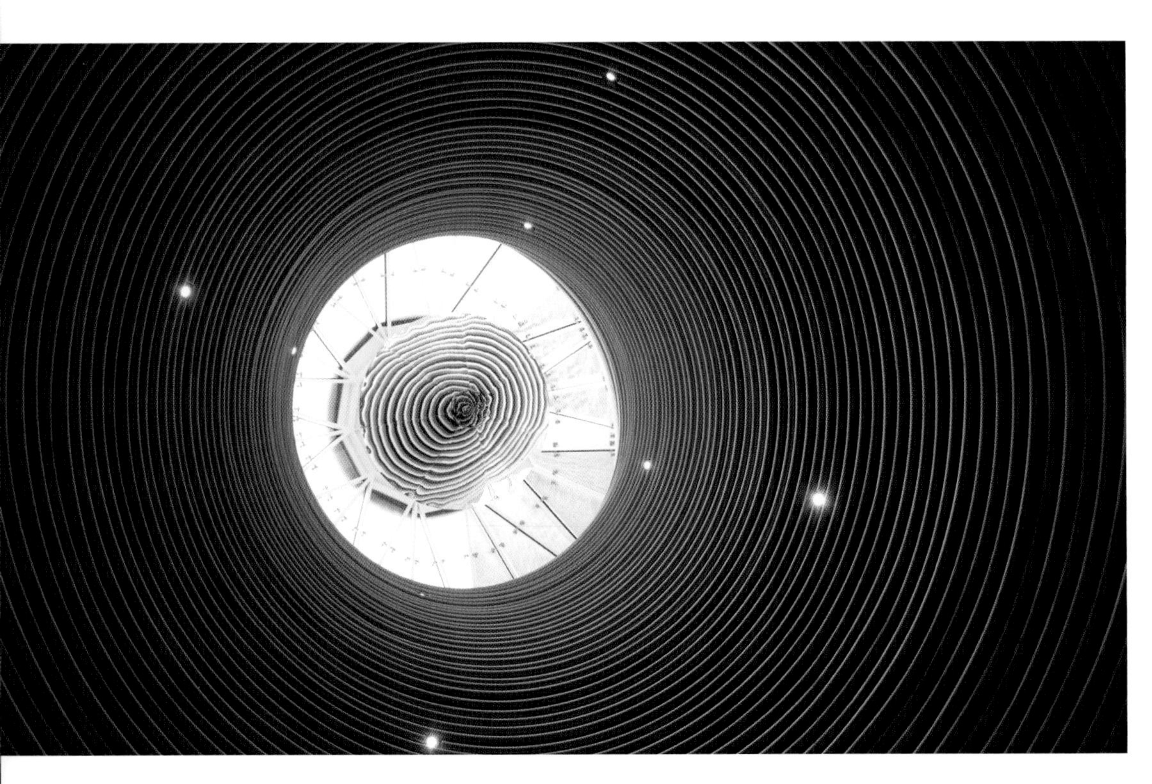

Cloch o heulwen yn croesawu golau dydd

Daw'r golau coch ymlaen a'r siaradwr piau'r llawr, tudalennau 100/101

Uwchben y llusern, saif y cwfl sydd bron yn ugain troedfedd o daldra. Mae hwn yn troi fel ceiliog gwynt ac yn ymdebygu i faner ar bafiliwn. Ar yr ochr gysgodol, bydd y gwasgedd negyddol yn sugno awyr gynnes o'r Siambr fel simnai. Bydd odyndai traddodiadol yn sychu hopys mewn ffordd debyg.

00:00:18

Hawl i holi: Carwyn Jones, Prif Weinidog Cymru, yn ateb cwestiynau'r Aelodau

Siâp drwm sydd i'r Siambr, ar ffurf theatr glòs a chron. Nod y cynllun a'r acwsteg glir yw annog Aelodau'r Cynulliad i holi a thrafod fel pe baent yn cynnal sgwrs. Mae'r Aelodau hynny'n eistedd mewn dau gylch, y naill o flaen y llall, y tu ôl i ddesgiau derw Cymreig a adeiladwyd ym Mhen-y-bont ar Ogwr. Yn y cylch mewnol y bydd aelodau'r Cabinet yn eistedd, gan allu troi ac ymgynghori â'r Aelodau eraill y tu ôl iddynt. Mae'r cylchoedd yn codi'n raddol o ganol yr ystafell, er mwyn i'r camerâu teledu allu gweld pob Aelod yn glir. Yn ystod y dadleuon, mae'r Llywydd yn gwasanaethu'r Cynulliad yn ddiduedd fel llefarydd. Ar lawr y Siambr, yng nghanol y cylch, ceir Calon Cymru, sef gwaith celf Alexander Beleschenko sy'n darlunio patrwm troellog mewn disg o wydr.

Mewn hanner cylch: y Gweinidogion sy'n eistedd yn y seddi mewnol sy'n wynebu'r Llywydd a'i staff

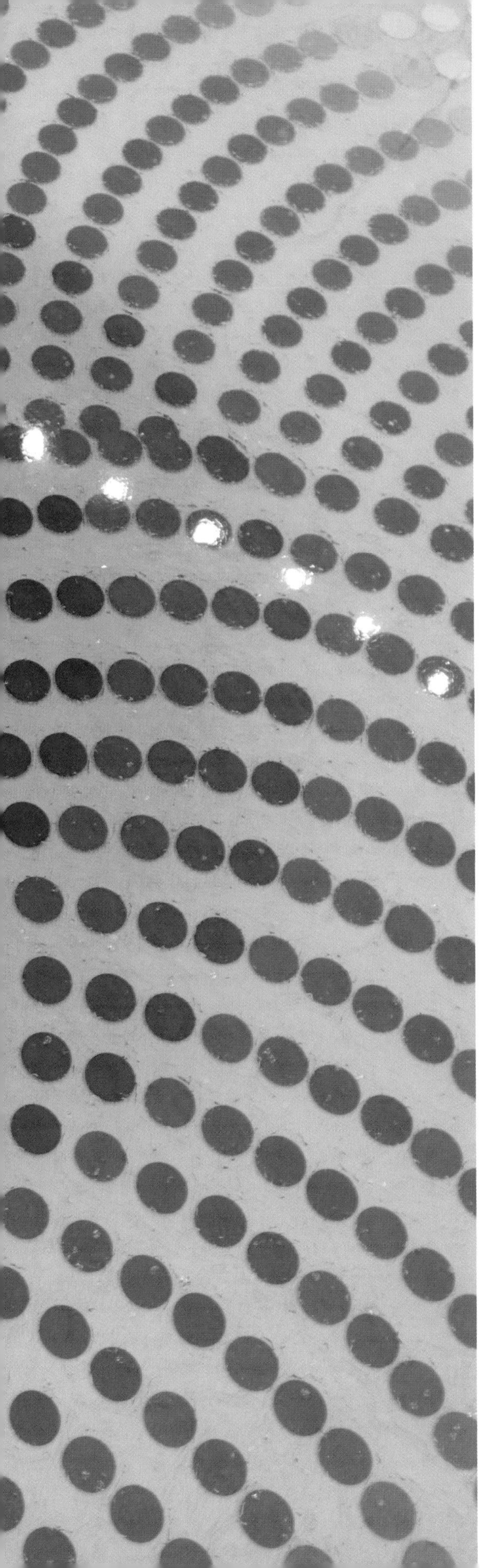

Rhoi'r darnau yn eu lle: aeth Alexander Beleschenko, yr artist o Abertawe, ati i greu cerflun 'Calon Cymru' drwy gyfuno haenau o wydr cyn eu chwalu mewn mowld i greu arwyneb sy'n denu golau ac yn symbol o adnewyddu

Y cyfan ar sgriniau:
y systemau electronig
arbennig sy'n gwasanaethu
democratiaeth

Coch, gwyn a gwyrdd

Yn ystod y dadleuon yn y Siambr, bydd y trigain Aelod yn defnyddio sgriniau cyffwrdd pedair modfedd ar bymtheg, ynghyd â system gyfrifiadurol unigryw sydd wedi'i chreu'n bwrpasol at y diben. System wedi'i symleiddio yw hon, heb fod iddi unrhyw nodweddion diangen.

Darperir agenda ac arni'r wybodaeth angenrheidiol ar gyfer busnes y dydd. Bydd y tîm sy'n gwasanaethu'r Siambr yn anfon y dogfennau perthnasol i'r sgriniau fel y gall yr Aelodau weithio heb bapur. Mae modd defnyddio pob desg fel darllenfwrdd hefyd a cheir drôr o dan bob un.

Gall yr Aelodau ddefnyddio system negeseua sydyn i anfon gair at aelodau unigol neu at bawb yn eu plaid eu hunain. Mae'r system hon yn arbennig o ddefnyddiol i chwipiau'r pleidiau yn ystod y cyfnodau pleidleisio. Nid yw'n gweithio y tu allan i'r Siambr ac ni chaiff y data'i gofnodi na'i gadw.

Bydd yr Aelodau'n pwyso botwm ar y sgrin i roi gwybod i'r Llywydd eu bod am siarad mewn dadl. Yn eu tro, bydd peirianyddion yn yr oriel sain yn troi'r meicroffon ymlaen pan gaiff yr Aelod ei alw i siarad. Os bydd yr Aelod hwnnw'n treulio gormod o amser yn traddodi'i araith, mae modd i'r Llywydd bwyso botwm coch i ddiffodd y meicroffon.

Mae'r cyfrifiaduron ar ddesgiau'r Aelodau'n rhai distaw, ac nid oes ynddynt ffaniau gan nad ydynt yn gorgynhesu. Os bydd cyfrifiadur yn torri, gall yr Aelod symud i ddesg sbâr tra bydd y staff yn newid yr offer mewn dim o dro.

Mae'r system bleidleisio electronig yn hynod o hwylus, ac mae'n gweithio'n annibynnol ar weddill y system dechnoleg gwybodaeth. Rhaid i'r Aelodau fod yn y Siambr i bleidleisio. I fwrw pleidlais, mae'n rhaid pwyso un o dri botwm o dan y sgrin. Y botwm gwyrdd yw'r un i bleidleisio o blaid cynnig, y botwm gwyn i ymatal, a'r botwm coch i bleidleisio yn erbyn cynnig. Y pedwerydd dewis yw peidio â phleidleisio o gwbl. Ceir saib byr sy'n rhoi cyfle i'r Aelodau newid eu meddyliau. Pan gaiff y bleidlais ei hagor, bydd y Llywydd yn gwylio'r canlyniadau ar ei sgrin, er na all yr Aelodau eu gweld.

Yn ogystal â'r system negeseua yn y Siambr, mae modd i bob Aelod ddefnyddio'r e-bost a'r rhyngrwyd. Gellir ysgrifennu llythyrau ac areithiau ar y sgrin. Ceir hefyd wiriwr sillafu a chyfrifiannell. Bydd yr Aelodau'n gwylio unrhyw gyflwyniadau DVD byr ar un o bedair sgrin y Siambr. Caiff y trafodion eu darlledu gan Senedd.tv o amgylch y Senedd a Thŷ Hywel, a gall pawb eu gweld hefyd yn fyw ar-lein. At hynny, anfonir y lluniau byw i'r stiwdios sydd gan y BBC, ITV ac S4C yn Nhŷ Hywel, er mwyn eu defnyddio ar raglenni newyddion. Caiff y camerâu teledu sydd wedi'u gosod o amgylch y Siambr eu rheoli o stiwdio yn Nhŷ Hywel. Mae dau ohonynt yn aros yn yr unfan, a'r chwech arall yn symud yn dawel ar gledrau.

NEC
Agenda
Assembly
Voting
Applications
Messaging
Presentation
Handwriting
Drawing Pad
Tools
Actions
Help
Reply
Reply to All
Forward
Send/Receive
Find
Type a contact to find
Request - Cais
What is the subject of your request ?
can I come in on this please

Mae lle yn yr oriel gyhoeddus i 128 o ymwelwyr. Oriel yw hon sy'n eich atgoffa mewn un ffordd o ddyluniad capel anghydffurfiol. Ceir lle hwylus i ddeuddeg o gadeiriau olwyn, ynghyd ag ystafell i gynnal cynadleddau i'r wasg gerllaw. Fel yr Aelodau, gall y cyhoedd glywed cyfieithu ar y pryd o'r Gymraeg i'r Saesneg. Mae cyfleusterau tebyg ar gael i'r rheini sydd am wylio'r trafodion yn y tair ystafell bwyllgora ar y llawr gwaelod. Saif yr ystafelloedd hyn, yn ogystal â swyddfeydd eraill, mewn rhyw fath o gyrtiau neu hafnau a naddwyd yn sylfeini'r adeilad ar ddwy ochr y Siambr. Mae ganddynt oll furiau gwydr sy'n wynebu'r cyrtiau, a'r rheini'n eu tro'n driw i thema gofod agored a golau dydd. Ar y waliau llyfn o goncrid llwyd, ceir paneli acwstig ffabrig Martin Richman, mewn tri arlliw o wyrdd a melyn a phinc. Yma a thraw, ceir rhagor o ystafelloedd cyfarfod, yn ogystal â lle paned i'r Aelodau. Dros ddwy rodfa wydr sy'n pontio o Dŷ Hywel, bydd yr Aelodau a'r swyddogion yn croesi i'r Senedd.

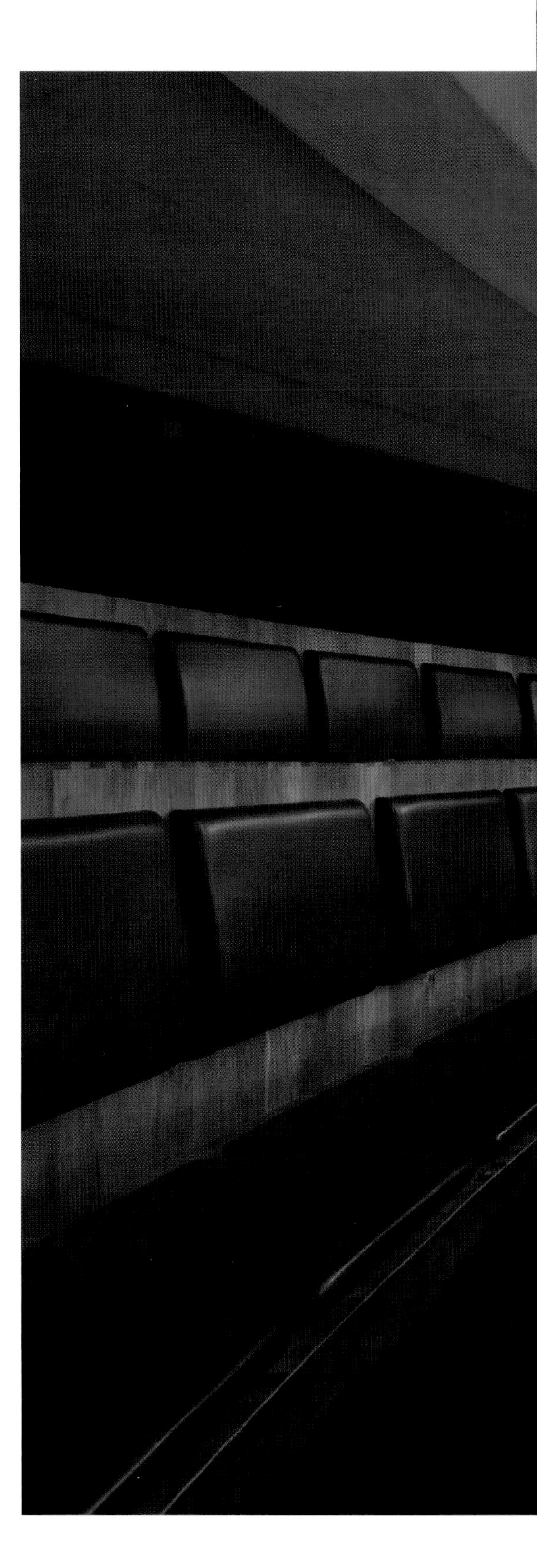

Gair yn eich clust: cyfieithwyr ar y pryd yn y Siambr yn trosi o'r Gymraeg i'r Saesneg er budd yr Aelodau a gwrandawyr yn yr oriel gyhoeddus

Ar y newyddion: caiff y camerâu teledu yn y siambr eu cyfarwyddo o stiwdio yn Nhŷ Hywel

At eich gwasanaeth: bloc o swyddfeydd Tŷ Hywel ar y chwith y tu ôl i'r Senedd, tudalennau 118/119

Lledaenu'r newyddion: gohebwyr yn ymgasglu ar gyfer cynhadledd i'r wasg yn y Senedd

Cymru'n Un
One Wales

Rhagor o gwestiynau:
y Prif Weinidog yn
wynebu'r wasg

Ceir rhyw 600 o baneli gwrthsain yn y Senedd, a'r rheini ar ffurf fframiau pren ac arnynt ffabrig niwtral. Mae tua 270 ohonynt wedi'u peintio gan Martin Shipman, a fwriodd ati i greu cyfres unigryw ar gyfer pob rhan wahanol o'r adeilad. Mae'r dyluniadau'n adlewyrchiad o haenau craig a dyddodion mwynol, sef ffynhonnell holl gymeriad, diwylliant a chyfoeth Cymru

Yn binc i gyd: lliwiau i'ch ymlacio yn ystod y pwyllgorau, tudalennau 128/129

Eleanor Burnham

Val Lloyd

English
Volume
Cymraeg

Mae'r waliau gwydr yn wynebu'r cyrtiau mewnol yn yr ystafelloedd cyfarfod a'r ystafelloedd pwyllgora, gan gyd-fynd â'r holl ofod agored, tudalennau 132/133

Ystafell Briffio
Briefing Room
11

Cyfarchiad o Awstralia

Mae'r byrllysg a gyflwynwyd i'r Senedd yn y seremoni agoriadol yn 2006 yn dathlu cysylltiad a ddeilliodd o fordaith James Cook i arfordir dwyreiniol Awstralia ym 1770. Serch hynny, camgymeriad yw tybio bod talaith De Cymru Newydd wedi cael ei henwi yn sgil y tebygrwydd rhwng arfordir Awstralia ac arfordir Chymru. Yn ystod y gyntaf o'i dair mordaith i'r Môr Tawel, bu Cook yn tirfesur 2,000 o filltiroedd ar hyd glannau dwyreiniol Awstralia cyn meddiannu'r ardal ar 22 Awst. Ac yntau'n fforiwr ac yn ddaearyddwr, roedd gan Cook ddyletswydd i enwi gwahanol lefydd ond ni wnaeth hynny ar ei union y tro hwn. Wrth gwrs, roedd New England, New Britain a Nova Scotia yn bodoli eisoes. Roedd hi'n fis Hydref cyn i Cook ysgrifennu'r enw New Wales yn ei ddyddiadur. Yn ei ddyddiadur ei hun, ysgrifennodd Joseph Banks, ei gydymaith: 'New Wales bestowed by Cook'. Fodd bynnag, mae'n ddigon posibl bod Cook wedi cofio'n sydyn fod New Wales arall yng Nghanada. Mewn copïau diweddarach o'r dyddiadur, ychwanegwyd y gair 'South' at New Wales. Ni chafodd yr holl dir ei alw'n Awstralia tan 1803. Enwyd rhan ogleddol De Cymru Newydd yn Queensland ym 1853.

Wedi'i greu o efydd, arian ac aur, mae'r byrllysg yn gorwedd yn nesg y Llywydd yn y Siambr. Mewn senedd, symbol cyfriniol o awdurdod y llefarydd yw'r byrllysg. Mae Tŷ'r Cyffredin wedi cadw'r traddodiad hwn yn fyw drwy gyflwyno byrllysgau i sawl deddfwriaeth yn y Gymanwlad.

Cwtogi'r costau

07

O'r dechrau'n deg, roedd y briff i ddylunio'r Senedd yn gofyn i'r penseiri ymrwymo i greu adeilad a edrychai tua'r dyfodol, a hwnnw'n arbed gwres, golau, trydan, dŵr a deunyddiau. Fe'i dyluniwyd i bara am ganrif a mwy ac i fod ar flaen y gad wrth ei adeiladu a'i ddefnyddio. Y nod oedd manteisio i'r eithaf ar yr adnoddau cynaliadwy a oedd ar gael.

Dim ond mewn adeilad newydd y gellid cyflawni'r amcanion a'r gofynion hyn. Y Cynulliad yw'r corff gwleidyddol cyntaf ym Mhrydain i orfod hyrwyddo datblygiad o'r fath. Mae'n ymrwymiad ganddo i wneud yn fawr o fyd natur drwy ddefnyddio awyr iach, golau dydd, gwres o'r ddaear a dŵr glaw, ynghyd â gwastraff pren rhad yn danwydd gwresogi. Y targed yw cwtogi'r costau cynnal a chadw nes bod y rheini draean neu ragor yn is.

Roedd yn fwy ymarferol o'r hanner i'r penseiri ystyried yr adeilad newydd yn ei gyfanrwydd, gan roi'r dechnoleg gyfrifiadurol yn ei phriod le o'r dechrau a chynllunio at y tymor hir. Byddai carpedi, er enghraifft, wedi bod yn rhatach ar y lloriau na'r llechi a geir drwy'r adeilad, ond dros ganrif byddai'r rheini'n ddrutach ac yn anos o beth tipyn i'w cynnal a'u cadw.

Ystafell y peiriannau: tyllu i'r ddaear i gael cynhesrwydd, a'r tanc dŵr poeth sy'n trosglwyddo'r gwres hwnnw

Gadewch i ni ddechrau â'r sylfeini. O goncrid wedi'i atgyfnerthu y codwyd gwaelod yr adeilad. Gall hwnnw wrthsefyll ffrwydron a lliniaru rhywfaint ar y gwasgedd a gaiff ei greu gan y gwynt. Mae'n oeri'r adeilad mewn tywydd poeth ac yn arbed ynni drwy addasu'r tymheredd pan fydd y gwres yn newid. Mewn rhai mannau, mae'r concrid wedi'i gadw'n foel er mwyn dangos rhinweddau a harddwch y muriau llwyd.

Caiff rhannau helaeth o'r Senedd eu cynhesu a'u hoeri drwy ddefnyddio ynni adnewyddadwy a thymheredd cyson y ddaear. Y nod yw symud gwres o fan i fan yn hytrach na'i greu o'r newydd drwy losgi olew neu nwy. Ceir saith ar hugain o dyllau turio, bob un yn ddeunaw modfedd o led, sy'n ymdreiddio drwy'r sylfeini i ddyfnder o 330 o droedfeddi. Yma, mae tymheredd y ddaear yn 16C neu'n 64F.

Yn ystod y gaeaf, defnyddir pibellau pwrpasol sydd wedi'u hinswleiddio i godi'r gwres i'r wyneb, cyn ei drosglwyddo i gyfnewidwyr sy'n cynhesu'r lloriau. Yn ystod yr haf, defnyddir y system o chwith: caiff y gwres ei anfon o'r Senedd yn ôl i'r ddaear sy'n golygu nad oes angen defnyddio dulliau sy'n llyncu ynni i oeri'r adeilad.

Mae'r system ddaearwresol, ddarbodus hon yn golygu defnyddio llai o adnoddau a chreu llai o allyriadau. Dyma'r system sy'n cael ei gosod yn y rhan fwyaf o dai newydd yn Sweden, ac er bod y costau'n uwch ar y dechrau, mae'r biliau yn y tymor hwy 30-40 y cant yn is.

Cŵl Cymru: un o dechnegwyr y Senedd yn addasu'r falfiau sy'n rheoli'r tymheredd. Mae'r gorchuddion thermal yn atal y dŵr rhag anweddu

Mewn boeler coch y cynhesir y dŵr ar gyfer tai bach a dargludyddion gwres y Senedd. Mae'r boeler hwn yn llosgi tanwydd biomas ar ffurf pelenni neu naddion pren, fel rheol o hen ddarnau o goed neu ddodrefn. Tanwydd sydd bron yn gwbl garbon niwtral yw hwn. Yn ystod y gaeaf, mae'r boeler yn defnyddio pymtheg tunnell o danwydd mewn rhyw ddwy neu dair wythnos, ac fe'i diffoddir yn llwyr rhwng mis Ebrill a mis Hydref.

Ynghyd â goleuo'r Siambr a'r ystafelloedd pwyllgora, mae gan y Senedd sawl agorfa bwrpasol sy'n denu golau dydd i ganol yr adeilad. Rheolir y goleuadau trydan yn yr ystafelloedd pwyllgora a'r swyddfeydd gan synwyryddion cyfrifiadurol sy'n cadw'r lefel ar 500 lwcs wrth i'r golau naturiol bylu neu gryfhau. Ceir synwyryddion isgoch drwy'r adeilad hefyd sy'n diffodd y golau'n awtomatig ar ôl ugain munud o segurdod.

Ar y cyfan, mae'r system awyru hithau'n gwbl naturiol ac yn cael ei defnyddio yn y rhan fwyaf o'r adeilad. Ar furiau gyferbyn â'i gilydd, ceir rheolyddion aer sy'n agor a chau yn awtomatig pan fydd galw. Daw aer i mewn drwy gilfachau yn y lloriau hefyd cyn dianc drwy fentiau yn y to neu drwy'r ffenestri. Prin fod angen unrhyw beiriannau aerdymheru, er bod y cyfleuster ar gael yn y Siambr ac yn yr ystafelloedd pwyllgora. Mae'r system unigryw honno'n sugno aer o'r awyr agored ac yn ei drosglwyddo drwy goil o rew a thrwy hidlyddion i lawr i'r adeilad.

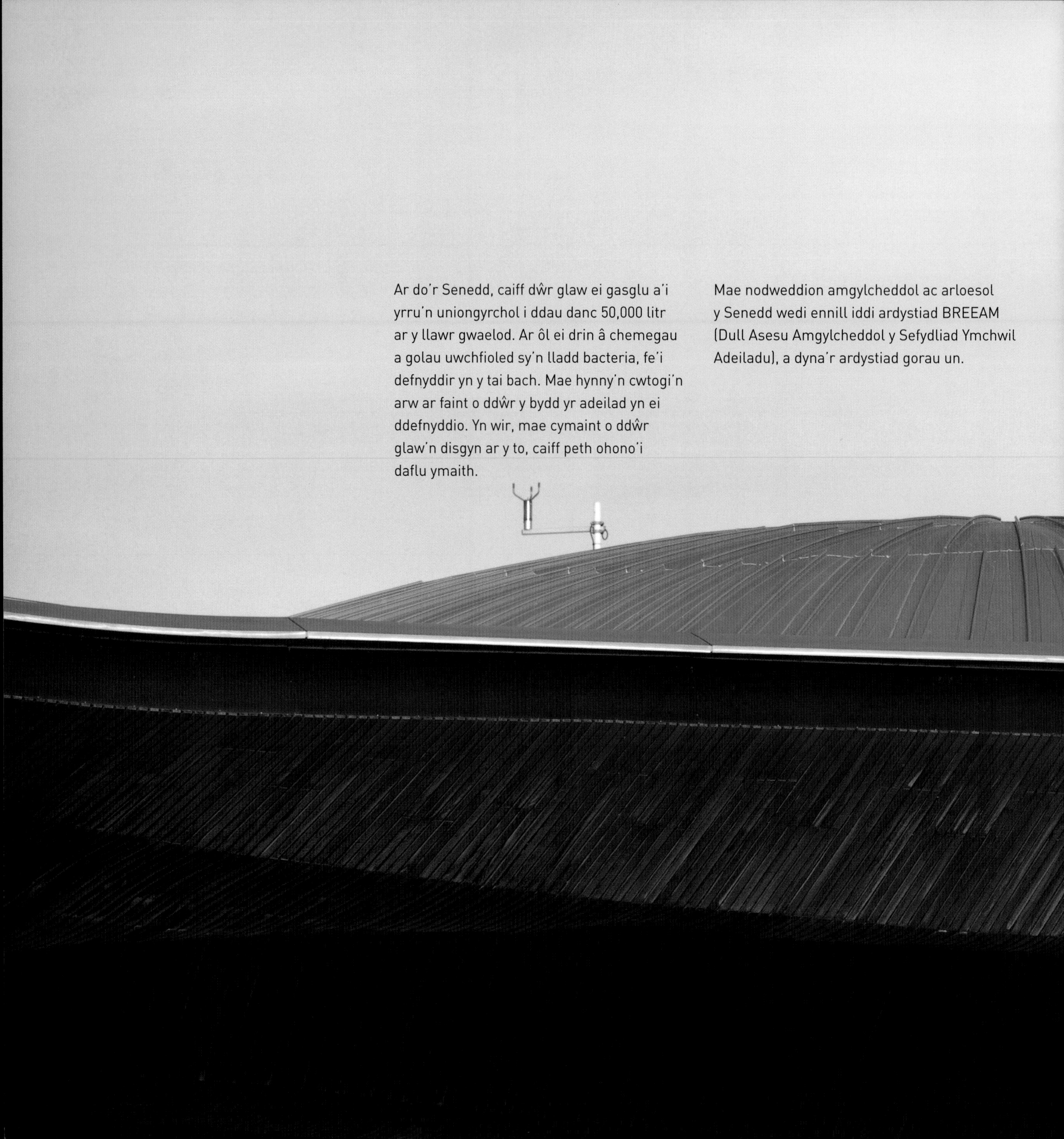

Ar do'r Senedd, caiff dŵr glaw ei gasglu a'i yrru'n uniongyrchol i ddau danc 50,000 litr ar y llawr gwaelod. Ar ôl ei drin â chemegau a golau uwchfioled sy'n lladd bacteria, fe'i defnyddir yn y tai bach. Mae hynny'n cwtogi'n arw ar faint o ddŵr y bydd yr adeilad yn ei ddefnyddio. Yn wir, mae cymaint o ddŵr glaw'n disgyn ar y to, caiff peth ohono'i daflu ymaith.

Mae nodweddion amgylcheddol ac arloesol y Senedd wedi ennill iddi ardystiad BREEAM (Dull Asesu Amgylcheddol y Sefydliad Ymchwil Adeiladu), a dyna'r ardystiad gorau un.

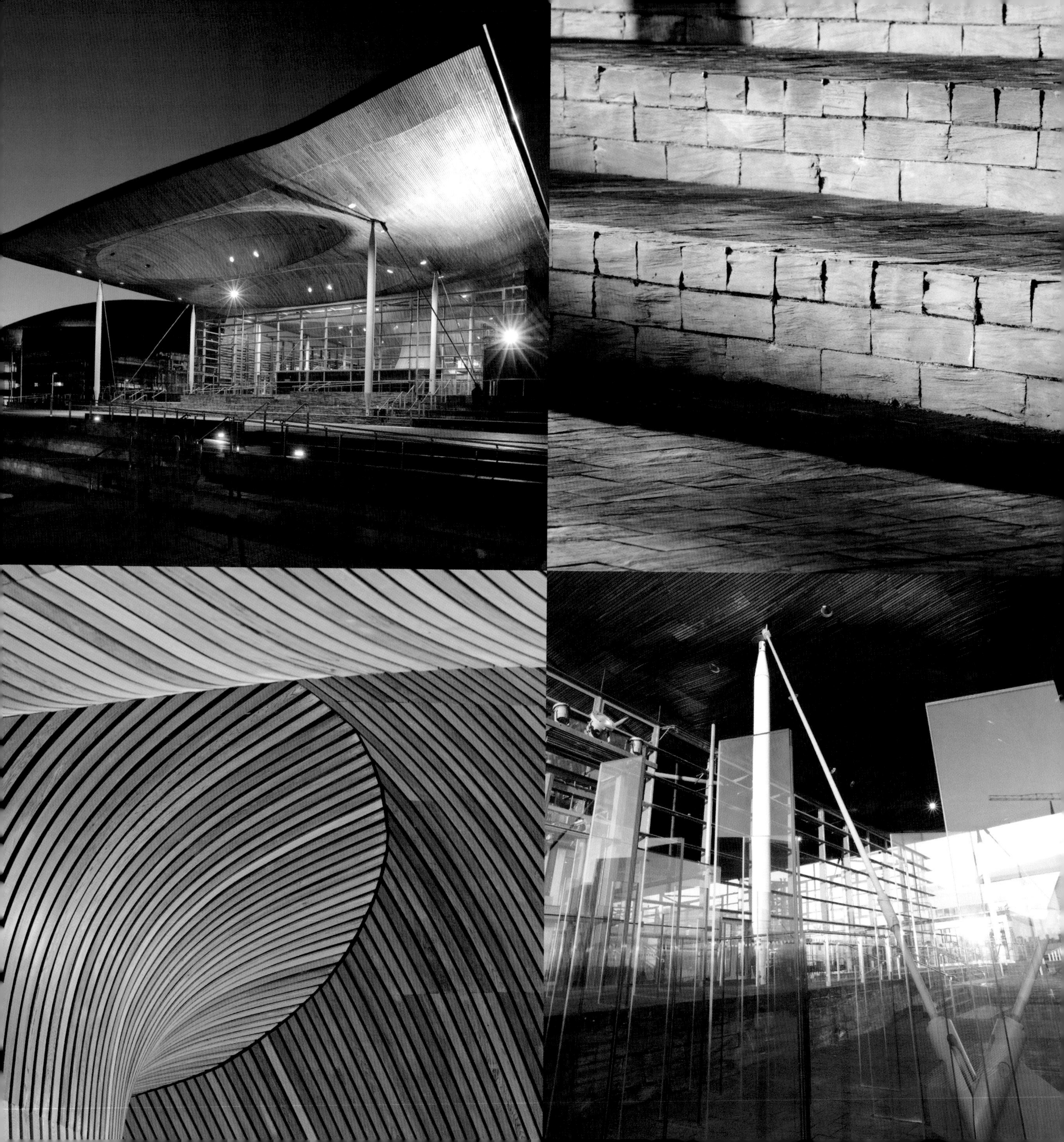

National Assembly for Wales
What matters to you?
Pwy sy'n eich cynrychioli chi?
Beth mae'r Cynulliad
yn ei wneud drosoch chi?
Sut y gallwch chi gymryd rhan?
Who represents you?
What does the Assembly
do for you?
How can you get involved?

Sgwrs gyda Richard Rogers ac Ivan Harbour

08

'Mae'n anodd i'r pensaer ddweud a yw adeilad wedi llwyddo neu beidio. Mae'r defnyddwyr yn bwysicach erbyn hynny. Ond mae'r adeilad hwn ym Mae Caerdydd yn fy nghalonogi. Mae gan rywun berthynas agosach â rhai o'i adeiladau nag â rhai eraill. Mae'r Senedd yn un o'r rheini.'

Mae **Richard Rogers** yn bensaer rhyngwladol amlwg ers dros ddeng mlynedd ar hugain.

Ymunodd **Ivan Harbour** â chwmni Richard Rogers ym 1985. Ef oedd cyfarwyddwr prosiect adeilad y Cynulliad rhwng 1998 a 2005.

Bu'r Arglwydd Rogers ac Ivan Harbour yn siarad â Trevor Fishlock yn adeilad Rogers Stirk Harbour + Partners ar lannau afon Tafwys, nid nepell o Bont Hammersmith.

'mae modd dysgu am ddemocratiaeth a gweld nad oes dim yn guddiedig yn ei gylch'

RR: Gwella ansawdd bywydau yw hanfod pensaernïaeth. Buom yn cnoi cil ar y cysyniad o ddemocratiaeth fel proses o gyfnewid syniadau, gan weld y Cynulliad yn fan cyfarfod democrataidd sy'n ficrocosm o ddinas. Mae'n hollbwysig ei fod yn lle agored. Dylai pobl allu gweld yr hyn y mae eu llywodraeth yn ei wneud. Fan hyn, mae modd dysgu am ddemocratiaeth a gweld nad oes dim yn guddiedig yn ei gylch. Mae'r lle'n llawn golau, yn edrych ar y môr a'r awyr, ac yn edrych allan ar y byd.

IH: Roedd y Cynulliad yn awyddus i gael adeilad a fyddai'n ysbrydoli, yn symbol o'r dyfodol yn hytrach na'r gorffennol. Roedd dwy ran i'r briff. Yn y rhan gyntaf, cafwyd ambell baragraff o gyflwyniad gan yr Arglwydd Callaghan. Ef oedd yn gyfrifol am fynegi'r dyheadau yn y briff. A dyna'n union oedd ei angen arnom. Mae ffigurau'n eithaf hawdd eu hamgyffred, ond mae'r dyheadau a sut y caiff y rheini eu cyfleu'n fwy cymhleth o lawer. Roedd ei eiriau'n gynnil. Ni ddywedodd ei fod am weld adeilad a fyddai'n gweiddi. Pe bai'r adeilad yn llwyddiannus ac yn gweddu i Gymru, mentrodd ddychmygu y byddai pobl yn ei gysylltu â'r wlad. Dyna oedd yr her. Heb yr her honno, ni fyddai'r adeilad hwn yn bodoli fel y mae. Mae'r ddyled yn un drom i Jim Callaghan.

RR: Rydym yn hoff o ysbrydoli pobl.

IH: Mae'r rhan fwyaf o'n gwaith yn deillio o gystadlaethau. Ni fydd pob un o'r rhain yn cael eu trefnu'n arbennig o dda, a bydd pobl yn gofyn gormod. Fodd bynnag, cafodd cystadleuaeth y Cynulliad ei threfnu'n wirioneddol dda o dan arweiniad Sefydliad Brenhinol Penseiri Prydain. Gofynnwyd am y wybodaeth bwysicaf, yn hytrach na'r mân fanylion, ac fe'n galluogwyd felly i ganolbwyntio ar gyfleu'r cysyniad. Ein hawgrym ni oedd y dylai'r Cynulliad lenwi'r holl ofod posibl gerllaw'r adeiladau cyfagos, sef y Pierhead a Chanolfan Mileniwm Cymru pan fyddai honno wedi'i chwblhau. Er tegwch i'r Cynulliad, roeddent yn sylweddoli bod angen safle mwy na'r safleoedd a roddid i fusnesau a symudai i Fae Caerdydd. Yn amlwg, roedd y Senedd yn bwysicach na hynny.

RR: Dywedwn yn aml fod pensaernïaeth yn deillio o gyfyngiadau. Nid arlunwyr haniaethol mohonom. Y gamp yw ymateb i gyfyngiadau, eu troi ben i waered a'u datblygu'n rhywbeth sy'n fanteisiol i chi. Mae'n anodd gweithio ar safle cwbl glir. Mae angen her.

IH: Mae safleoedd maes glas yn broblematig gan nad oes modd ymateb i ddim byd arall. Nid oes dim y gallwch wthio yn ei erbyn.

RR: Camgymeriad yw credu nad yw'r pensaer am wynebu unrhyw gyfyngiadau, a'i fod yn gwybod yn union sut olwg fydd ar yr adeilad o'i frasluniau. Nid yw'n gwybod hynny: mae'r adeilad yn datblygu wrth i'r gwaith fynd rhagddo. Mae'n newid o hyd. Gofynnodd cleient i mi unwaith pam nad oeddwn wedi dweud wrtho sut olwg fyddai ar ei adeilad. Dywedais innau nad oeddwn yn gwybod yn iawn – dyna pam. Y pwynt yw nad oes modd gweld y darlun cyfan. Waeth pa mor dda yw'ch modelau, bydd pethau annisgwyl yn eich aros. Mewn rhai mannau, bydd yn rhaid gwneud penderfyniadau'n eithaf hwyr wrth gyfosod gwahanol bethau. Mae rhywbeth o'i le mewn codi adeilad a chithau wedi penderfynu'n derfynol ar eich holl syniadau o'r dechrau.

IH: I mi, y wefr mewn pensaernïaeth yw nad oes modd gwybod yn union sut olwg fydd ar adeilad yn y pen draw. Teimlad braf yw cael eich siomi ar yr ochr orau pan fydd hwnnw'n debyg i'r llun yn eich dychymyg.

RR: Y ddau beth pwysicaf mewn unrhyw brosiect yw briff da a chleient da sy'n rhoi arweiniad ac yn barod i gyfrannu. Mae'n well bod cleient yn troi'i drwyn ar rywbeth yn hytrach na dweud nad oes ganddo farn. Mae'n anodd gweithio gyda rhywun sydd heb farn. Mae'n well gallu dadlau am bethau. Bydd bob amser ffordd arall o wneud pethau, cyn belled â bod y ffordd honno'n rhesymegol. Wrth edrych yn ôl, mae'n siŵr mai'r adeiladau mwyaf diddorol oedd y rheini y cyfrannodd y cleient yn helaeth atynt.

'mae'r adeilad yn datblygu wrth i'r gwaith fynd rhagddo'

IH: Un o nodweddion arbennig yr adeilad hwn yw'r hyn nad ydych yn ei weld, a deillio y mae hynny o ymrwymiad y Cynulliad i ddatblygu cynaliadwy. Dyma'r adeilad cyntaf i ni fod yn rhan ohono fel cwmni i ymroi cymaint i gynaliadwyedd.

RR: Bu gennyf ddiddordeb mewn cynaliadwyedd ers tro byd. Mae hwn yn adeilad modern o'r iawn ryw, ac yn un o'r adeiladau mwyaf cynaliadwy i ni eu dylunio erioed. Mae'r rhan fwyaf ohono'n cael ei awyru'n naturiol.

IH: Yn gysyniadol, mae'n rhoi lloches i ddemocratiaeth. Deilliodd siâp y to o'n dyhead i ddefnyddio'r strwythur ysgafnaf posibl a fyddai'n sefyll ar golofnau main, a hwnnw fel pe bai'n arnofio cymaint ag y bo modd. To fflat yw hwn yn ei hanfod, ac mae'r tonnau ynddo'n apelio at bobl ac yn rhoi cadernid ar ben hynny. Crëwyd y twndis gan nad oedd gan yr adeilad, i bob pwrpas, unrhyw ochrau. Daeth yr ysbrydoliaeth i'r cyfan drwy ddychmygu'r dŵr yn cynrychioli'r llawr, sef y llawr cyhoeddus, a'r wybren yn do. Y peth pwysicaf yw bod y cynrychiolwyr etholedig a'r bobl sy'n eu hethol yn cyfarfod yn y fan hon. Yn symbol o hynny, mae'r wybren yn cael ei thynnu i lawr i'r ddaear. Mae gan yr holl syniadau hyn fwy nag un man cychwyn.

RR: Go brin ein bod wedi meddwl ymlaen llaw am y pethau hyn, ond mae rhywun yn storio syniadau'n ei gof o hyd, ac mae'r rheini'n aeddfedu am flynyddoedd.

IH: Dyna'r isymwybod, sef rhywbeth nad oes gan yr un cyfrifiadur mohono, diolch byth. Mae penseiri'n gwybod ychydig am lawer o bethau, ac mae'n rhaid i ni weithio gyda phobl sy'n gwybod llawer am ychydig o bethau. Oherwydd hynny, byddwn yn gweithio gyda nifer o ymgynghorwyr sy'n arbenigwyr go iawn.

'daeth yr ysbrydoliaeth o'r dŵr ac o'r awyr'

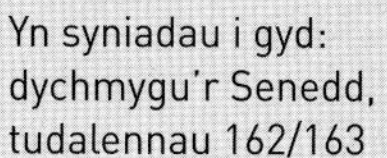
Yn syniadau i gyd:
dychmygu'r Senedd,
tudalennau 162/163

RR: Yn ein sefydliad ni, mae sicrhau bod pawb yn cyfrannu'n ganolog i'n ffordd o weithio. Nid fi fy hun yw'r cwmni, ond y tîm. Bob dydd Llun, byddwn yn cynnal fforwm lle daw pawb ynghyd i drafod y dyluniadau, yn bedwar neu'n bum prosiect, ac mae hynny'n cynnwys y cleientiaid, y peirianwyr a sawl un arall.

IH: Mae pawb sydd yno'n rhoi ei farn ac yn defnyddio'i brofiad. Ein gwaith ni fel penseiri yw trafod y cyfraniadau hyn a chreu rhywbeth ohonynt. Mae'n amhosibl disgrifio sut mae mynd ati i greu a datrys y problemau hyn. Byddai rhywun sy'n gallu gwneud hynny'n gyfoethog iawn. Rwyf wedi gweithio gyda Richard ers pum mlynedd ar hugain ac rwy'n dal i deimlo'n llawn cyffro wrth feddwl am fynd i fy ngwaith yfory. Mae'n broses greadigol iawn.

RR: Rwyf yr un mor frwd dros bensaernïaeth heddiw ag yr oeddwn flynyddoedd yn ôl. Wrth gwrs, mae'n braf cael gwobrau, ond nid beirniadaeth na gwobrau sy'n eich diffinio. Yn y pen draw, mae'n rhaid i chi gredu mewn adeilad.

IH: Roedd adeiladu'r Senedd yn dalcen caled ar brydiau. Ar un adeg, rhoddwyd y gorau i weithio ar y prosiect, a bu'n rhaid i ni gyflwyno tendr o'r newydd i'w gael yn ôl. Ni ofynnwyd i ni greu model, ond ar ôl i ni ddewis gwneud hynny, dyna aeth â hi yn y pen draw. I mi, mae'n llwyddiant. Mae'n lle a adeiladwyd yn yr un ysbryd â'r hyn a ddychmygwyd yn wreiddiol, ac mae'n mynegi'r hyn y chwiliai Jim Callaghan amdano. Rwy'n teimlo ein bod wedi ymateb i'w eiriau mewn ffordd y byddai'n falch ohoni.

RR: Mae'n anodd i'r pensaer ddweud a yw adeilad wedi llwyddo neu beidio. Mae'r defnyddwyr yn bwysicach erbyn hynny. Ond mae'r adeilad hwn ym Mae Caerdydd yn fy nghalonogi. Mae gan rywun berthynas agosach â rhai o'i adeiladau nag â rhai eraill. Mae'r Senedd yn un o'r rheini.

'mae'r adeilad hwn ym Mae Caerdydd yn fy nghalonogi'

Yr Arglwydd Rogers o Riverside

Ers dros ddeugain mlynedd, mae Richard Rogers yn bensaer rhyngwladol amlwg a dylanwadol ac yn un o gefnogwyr brwd adfywio dinesig a mannau cyhoeddus. Celfyddyd gymdeithasol yw pensaernïaeth iddo ef, ac mae gwella ansawdd bywydau'n greiddiol i'r cyfan. Mae ei ddyluniadau'n adlewyrchu ei ddiddordeb byw mewn adeiladau hyblyg a chynaliadwy sy'n gallu addasu.

Fe'i hurddwyd ym 1991 ac fe'i gwnaed yn Arglwydd am Oes ym 1996. Ym 1995, ef oedd y pensaer cyntaf i draddodi Darlithoedd Reith y BBC, a hynny ar y pwnc 'Dinasoedd ar gyfer Planed Fechan.'

Fe'i ganed yn Fflorens ym 1933, gyda'i gyfenw Seisnig wedi'i roi gan un o'i gyndadau a ymgartrefodd yn Fenis. Dihangodd ei rieni rhag ffasgaeth a symud i Brydain pan oedd yn bump oed. Enillodd ysgoloriaeth i astudio ym mhrifysgol Yale, cyn dychwelyd i Brydain a sefydlu practis ar y cyd â Norman Foster. Yn ddiweddarach, daeth ef a Renzo Piano yn enwog drwy greu adeilad dadleuol y Centre Pompidou ym Mharis ym 1977. Yn yr un flwyddyn, sefydlwyd Partneriaeth Richard Rogers. Erbyn y 1980au, roedd ymhlith tri phensaer amlycaf Prydain. Daeth yn aelod o'r Academi Frenhinol ym 1984 ac yn enillydd Gwobr Aur Sefydliad Brenhinol Pensaernïaeth Prydain ym 1985. Rhoddwyd y Legion d'Honneur iddo yn Ffrainc ym 1986.

Mae gan bractis yr Arglwydd Rogers swyddfeydd yn Llundain, Barcelona, Madrid, Efrog Newydd a Tokyo, ynghyd â phrofiad eang o ddylunio adeiladau yn Llundain, Shanghai, Fflorens, Berlin a Lisbon. Penododd Llywodraeth Prydain yr Arglwydd Rogers yn gadeirydd ar ei thasglu trefol a edrychai ar gyflwr dinasoedd ym 1998. Rhoddwyd iddo fedal Sefydliad Coffa Thomas Jefferson am bensaernïaeth ym 1999, gwobr y Golden Lion am gyflawniad oes yn Biennale Fenis yn 2006, a gwobr bensaernïaeth Pritzker yn 2007. Daeth yn aelod o Urdd y Cymdeithion Anrhydeddus yn 2008.

Alfresco: ceir iard y tu allan i ystafell baned yr Aelodau sydd wedi'i neilltuo ar eu cyfer

Sgwrs gyda Dafydd Elis-Thomas, y Llywydd

09

'Mae ein gwaith yn y Senedd yn waith i'w gymryd o ddifrif. Yn hynny o beth, rydym yn ffodus o allu cynnal dadleuon mewn lle golau ac agored, rhwng yr awyr a'r dŵr. Mae'r hyn sydd o'n hamgylch yn rhoi hwb i'n meddyliau gydol y dydd, a go brin fod curo ar hynny a chithau wrth eich gwaith.'

Bu **Dafydd Elis-Thomas** yn sgwrsio â Trevor Fishlock yn y Senedd.

Mae pobl Cymru yn llygad eu lle'n teimlo mai hwy biau'r Senedd. Mae'n rhan newydd a naturiol o'u bywydau ac mae iddi le amlwg yn eu calonnau. Mae'r bobl yn falch hefyd o allu cyfrannu at brosesau democrataidd y sefydliad hwn, sefydliad na fu tebyg iddo erioed o'r blaen yn hanes Cymru.

Mae'n eithriadol o bwysig i Gymru bod ei Senedd yn un addas a pherthnasol. Rwyf wrth fy modd â'r ffordd y mae wedi hawlio'i phriod le yn y Bae. Mae'n adeilad amlwg, trawiadol a modern. Gwn fod Richard Rogers yn teimlo'n falch o'r hyn y mae wedi'i gyflawni yma. Mae'n wledd i'r llygaid ac yn edrych fel y dylai. Rwyf wedi edmygu'r dyluniad a'r pwyslais ar fod yn agored ers y tro cyntaf i mi weld model ohono yn y gogledd.

CYNGHORWYR

Yn y swyddfa: y Llywydd
a'i staff yn Nhŷ Hywel

Mae ein gwaith yn y Senedd yn waith i'w gymryd o ddifrif. Yn hynny o beth, rydym yn ffodus o allu cynnal dadleuon mewn lle golau ac agored, rhwng yr awyr a'r dŵr. Mae'r hyn sydd o'n hamgylch yn rhoi hwb i'n meddyliau gydol y dydd, a go brin fod curo ar hynny a chithau wrth eich gwaith.

Mae'r Senedd hefyd yn gweddu i'r dim yng nghwmni ei chymdogion amrywiol, a hithau'n sefyll dafliad carreg o gromen Canolfan Mileniwm Cymru ac adeilad Fictoraidd y Pierhead. Mae'r Pierhead yn rhan o ystâd y Cynulliad Cenedlaethol ac yn un o'r mannau cyhoeddus sydd gennym i gynnal arddangosfeydd a digwyddiadau. Fe'i gwelaf yn berl ac yn symbol o Gaerdydd a Chymru gyfan yn y bedwaredd ganrif ar bymtheg.

Roedd y Pierhead yn rhan o'r twf hynod hwnnw mewn diwydiant a masnach a wnaeth y ddinas hon yn brifddinas. I mi, mae'n golygu llawer mwy na glo a chwmni rheilffordd. Mae steil bensaernïol yr adeilad, yr arwyddair 'wrth ddŵr a thân' a'r gofeb ryfel i gyd yn adrodd hanes yr oes. A dylem gofio mai o'r oes honno a'i phrofiadau y deilliodd democratiaeth. Yn sgil hynny, cawn ein hatgoffa bod y gwaith a wnawn yn y Senedd wedi'i wreiddio yn ein hanes, a'n bod yma yn y Bae yn creu cenedl ar seiliau cadarn. Mae hynny'n fy nghyffwrdd ac yn fy nghyffroi.

Mae tua 300 o bobl yn gweithio yn swyddfeydd y Cynulliad yn Nhŷ Hywel

Mae'n gwbl addas mai yn y brifddinas y mae ein cartref democrataidd. Fel rhan o'r ailddatblygu a fu yn y Bae, mae'n fanteisiol i Gaerdydd yn ogystal ag i Gymru. Ein bloc o swyddfeydd oedd yr adeilad llywodraethol cyntaf i'w godi wrth i'r gwaith fynd rhagddo i adfywio Bae Caerdydd – gwaith a ddechreuwyd o dan arweiniad Nicholas Edwards, cyn-ysgrifennydd gwladol Cymru a ddaeth yn Arglwydd Crughywel maes o law. Yn yr adeilad hwn hefyd yr oedd siambr drafod y Cynulliad yn ystod ei chwe blynedd gyntaf. Mae'r enw Tŷ Hywel yn gwbl briodol: roedd cyfraniad Hywel Dda a Chyfraith Hywel yn garreg filltir o bwys yn ein hanes.

Rwy'n mwynhau gweithio fan hyn. O'm swyddfa, gallaf weld yr ynysoedd ar Fôr Hafren, Castell Coch, yr olygfa am Sir Fynwy a Bannau Brycheiniog. Daw pobl i Gaerdydd ar deithiau busnes a hamdden, ac mae'r Bae'n eu denu. Mae modd mynd am dro, teithio ar gwch, yfed coffi, bwyta a siopa yma – heb sôn am ymweld â'ch senedd genedlaethol. Bydd pobl o bedwar ban byd yn mwynhau gweld yr adeilad hwn. Mae'n atyniad. Ac mae pobl Cymru hwythau'n gwybod am ei werth fel lle i gyfarfod, ymgyrchu, cwrdd â'u cynrychiolwyr a thynnu sylw at achosion da. Mae'r ffaith ei bod mor agored yn cryfhau'r ymdeimlad ymhlith y bobl bod y Senedd yn perthyn iddynt hwy.

O'r Lladin y daw'r gair Senedd yn wreiddiol, gair hynafol am gynulliad cenedlaethol sy'n gyfarwydd i bobl drwy'r byd. Mae enwau'r ardaloedd y tu mewn i'r adeilad, sef y Neuadd, yr Oriel a'r Siambr, yn unigryw ac yn gwbl addas i'w diben.

Cludwyd tunelli dirifedi o lechi yma i'w hymgorffori'n rhan o'r Senedd, yn union fel y daethpwyd â brics coch y Pierhead yma o Riwabon ganrif a mwy yn ôl. Mae cludo cerrig o le i le ar hyd y wlad yn hen arferiad yng Nghymru. Gallwn glywed y llechi a gariwyd yma o'r gogledd yn siarad â ni. Maent yn atseinio ac yn dangos bod yr adeilad yn perthyn i'r genedl gyfan. Wrth sefyll ar y llawr llechi hwnnw, rwy'n teimlo fy mod yn sefyll ar fynydd yn rhywle rhwng Blaenau Ffestiniog a Phenmachno. Mae rhywbeth oesol yn y cerrig. Maent yn rhoi mwy o ystyr i'r lle. Mae adeiladau'n ein diffinio. A dyna ogoniant pensaernïaeth.

Yr Arglwydd Elis-Thomas o Nant Conwy

Bu Dafydd Elis-Thomas yn Llywydd ar Gynulliad Cenedlaethol Cymru ers ei sefydlu ym 1999. Fe'i ganwyd yng Nghaerfyrddin ym 1946. Ar ddechrau'r 1970au, bu'n diwtor astudiaethau Cymreig yng Ngholeg Harlech cyn mynd oddi yno i ddarlithio yn adran y Saesneg yng Ngholeg y Brifysgol, Bangor.

Saith ar hugain oed oedd pan etholwyd ef i Dŷ'r Cyffredin. Roedd yn Aelod Seneddol i Blaid Cymru dros Feirionydd rhwng 1974 a 1983, a thros Feirionnydd Nant Conwy rhwng 1983 a 1992. Bu'n llywydd ar Blaid Cymru rhwng 1984 a 1991. Fe'i gwnaed yn Arglwydd am Oes ym 1992. Gwasanaethodd yn gadeirydd ar Fwrdd yr Iaith Gymraeg rhwng 1993 a 1999 a bu'n aelod o Gyngor Celfyddydau Cymru, ynghyd ag yn gadeirydd ar Sgrin. Mae'n aelod o gorff llywodraethu yr Eglwys yng Nghymru a bu'n llywydd ar Brifysgol Cymru, Bangor, ers 2001. Fe'i hetholwyd yn Aelod Cynulliad dros Feirionnydd Nant Conwy ym 1999, a thros etholaeth newydd Dwyfor Meirionnydd yn 2007. Mae'n gerddwr brwd ar fynyddoedd a bryniau Cymru.

Llywydd y Cynulliad
Presiding Officer

Y llwybr i ddemocratiaeth 1832–2005

10

Golygodd Deddf Diwygio 1832 fod pleidlais bellach gan wŷr amlwg y dosbarth canol, ynghyd â'r bonedd a'r tirfeddianwyr. Rhoddodd hynny gryn bwysigrwydd gwleidyddol i'r trefi diwydiannol. Y bonedd a'r pendefigion a dra-arglwyddiaethai yn y senedd, gan adael y dosbarth gweithiol yn chwerw a di-lais.

Ymateb wnaeth Deddf Diwygio 1867 i alwadau'r gweithwyr hynny. Ond er gwaethaf ehangu'r bleidlais, dim ond traean o wŷr y wlad o hyd oedd wedi'u rhyddfreinio. Nid oedd llais gan fenywod, a phrin fod democratiaeth ar unrhyw raddfa fawr i'w gweld.

Llenwi rhai o'r bylchau a adawyd ym 1867 oedd nod Deddf Diwygio 1884. Ehangwyd y bleidlais bryd hynny i gynnwys trigolion cefn gwlad. Eto i gyd, dim ond gan 5.6 miliwn o bobl yr oedd yr hawl i bleidleisio, a hynny mewn gwladwriaeth ac ynddi 36 miliwn o bobl.

Yn sgil pasio Deddf Cynrychiolaeth y Bobl 1918, rhoddwyd pleidlais i bob gŵr dros un ar hugain oed ac i fenywod dros ddeg ar hugain oed a dalai drethi neu a oedd yn wragedd i drethdalwyr.

Cafodd menywod dros un ar hugain oed yr hawl i bleidleisio yn dilyn pasio Deddf Cynrychiolaeth y Bobl 1928.

Cafwyd gwared ar bleidlais y prifysgolion yn sgil Deddf Cynrychiolaeth y Bobl 1948, yn ogystal â chael gwared ar hawl pobl i bleidleisio yn yr ardaloedd lle'r oedd eu cartrefi a'u busnesau ill dau.

Rhoddodd Deddf Cynrychiolaeth y Bobl 1969 bleidlais i bawb dros ddeunaw oed, a chynyddodd maint yr etholaeth i 40 miliwn o bobl yn sgil hynny.

Ym 1973, argymhellodd y Comisiwn Brenhinol ar y Cyfansoddiad sefydlu dau gynulliad – y naill yng Nghymru a'r llall yn yr Alban.

Gwrthododd pobl Cymru a'r Alban y cynigion ar gyfer datganoli yn refferenda 1979. Ond erbyn 1997, roedd y rhod wedi troi a phleidleisiodd dinasyddion y naill wlad a'r llall o blaid.

Cafodd Cynulliad Cenedlaethol Cymru ei sefydlu gan Ddeddf Llywodraeth Cymru 1998. Yn yr etholiad cyntaf ym mis Mai 1999, enillodd menywod bedair ar hugain o'r trigain o seddi. Yn 2005, menywod a enillodd wyth ar hugain o'r rheini.

Y gweithiau celf a'r artistiaid

11

Richard Harris o Lanfair-ym-Muallt a naddodd y deugain namyn un o lechfeini sy'n creu'r man cyfarfod ar blinth y Senedd.

Brian Fell a greodd y gofeb ryfel a godwyd ym 1997 er cof am forwyr y llongau masnach na ddychwelsant ar ôl hwylio o Gaerdydd, Penarth a'r Barri rhwng 1939 a 1945. Louise Shenstone ac Adrian Butler a luniodd y mosaig sy'n cyd-fynd â'r gofeb.

Danny Lane, artist o Americanwr, a greodd gerflun 'Maes y Cynulliad' drwy gyfosod pum rhes gyfochrog o wydr trwchus.

Alexander Beleschenko a ddyluniodd y mosaig gwydr yn y Siambr. Mae'n ddwy fedr mewn diamedr ac yn cael ei oleuo o'r tu mewn.

Martin Richman a ddyluniodd y paneli acwstig yn yr ystafelloedd pwyllgora.

12

Sefydlwyd Sgwadiau Sgwennu'r Ifainc gan yr Academi, sef cymdeithas awduron Cymru, er mwyn annog plant i ysgrifennu a gweithio gydag awduron adnabyddus. Treuliodd bron i hanner cant o ddarpar awduron ddiwrnod yn y Senedd gyda'u tiwtoriaid, a dyma ddwy o'r cerddi a gyfansoddwyd ganddynt:

Y Senedd

Yn y Bae mae'n Senedd ninnau
Fel madarchen bren dan wydrau.
Seddi'r Siambr sy'n rhesymu,
botwm sgrîn sy'n penderfynu.

Yn y gwydr gwelwn ddadlau,
yn y pren, fe glywn y pleidiau'n
cynrychioli ac yn craffu,
a chreu cyfraith er mwyn Cymru.

Y mae'r wlad a'r dre yn siffrwd
yn llawn cyffro dan ei nenfwd.
Ar y llawr cawn wylio gobaith
yn y llechi'n gwawrio eilwaith.

Uwch y Senedd y mae newid,
yn yr awyr y mae rhyddid
fel y môr o amgylch Cymru
weithau'n sibrwd, weithiau'n gweiddi.

Yn y Bae mae llais y bobol,
ac mae cychod ein dyfodol;
yn yr haul mae hawliau'n bloeddio,
yn y dŵr mae fory'n sgleinio.

Sgwad 'Sgwennu Caerdydd
Gwenllian Davies, Broni Koziel, Lauren Moore, Elisa Morris, Ela Pari-Huws, Megan Rose, Greta Sion (pawb yn 14) a Ceri Wyn Jones

The Senedd

The ceiling reminds me of veins
Flowing with blood, free and full of life.
It stands so proud
Making it feel so real, so alive
The Chamber is the heart
Where women and men sit and debate
Helping Wales grow stronger as a country
So the world will sing its praise.
The floor black and simple
But means so much
It carries the heritage of our country
As we carry our bodies along it
The magnificent glass is like eyes
Opening the Bay and letting nature in
The magic, the dreams, the wonder
That leaves its mark in every heart

Lauren Slye, 13
Sgwad 'Sgwennu Rhondda Cynon Taf

Hanfodion yr adeilad

Roedd manylion y briff yn cynnwys gofyniad bod yr adeilad yn rhoi mynediad i bawb, bod systemau ynni cynaliadwy ac adnewyddadwy i'w cael ym mhobman, y byddai'r adeilad yn para o leiaf 100 mlynedd, a bod deunyddiau o Gymru'n cael eu defnyddio lle'r oedd hynny'n bosibl.

Roedd elfennau eraill yn cynnwys siambr drafod 610 metr sgwâr (6,566 troedfedd sgwâr) ar gyfer rhwng 60 ac 80 aelod, tair ystafell bwyllgora, swyddfeydd, ystafell friffio i'r cyfryngau, lolfa i'r aelodau, orielau cyhoeddus, ynghyd â neuadd a fyddai'n dderbynfa, yn gyntedd ac yn fan arddangos. Ar argymhelliad Rogers Stirk Harbour + Partners, ehangwyd maint y safle, sy'n wynebu Bae Caerdydd, er mwyn achub ar y cyfle i lenwi'r bwlch rhwng y datblygiadau cyfagos ac i fod yn fan cyhoeddus newydd o bwys i'r ddinas.

Cleient: Cynulliad Cenedlaethol Cymru

Arwynebedd: 5308 metr y tu mewn i'r adeilad

Cost codi'r adeilad: £67,000,000

Y penseiri: Rogers Stirk Harbour + Partners

Y tîm: David Ardill, Stephen Barret, Ed Burgess, Mike Davies, Lucy Evans, Mike Fairbrass, Rowena Fuller, Marco Goldschmied, Ivan Harbour, Mimi Hawley, Kazu Kofuku, Tom Lacy, James Leathem, Jose Llerena, John Lowe, Tim Mason, Stephen McKaeg, Annie Miller, Liz Oliver, Tamiko Onozawa, Mathis Osterhage, Andrew Partridge, Inma Pedragosa, Tosan Popo, Richard Rogers, Simon Smithson, Neil Wormsley, Daniel Wright, Yoshi Uchiyama, John Young

Y peirianwyr saernïol: Arup

Yr ymgynghorwyr amgylcheddol: BDSP Partnership

Y contractwyr: Taylor Woodrow Construction

Rheolwyr y prosiect: Schal

Y tirlunwyr: Gillespies

Peirianwyr diogelwch tân: Warrington Fire Research

Peirianwyr y cyfarpar acwstig: Sound Research Laboratories

Yr ymgynghorwyr mynediad: Vin Goodwin Access Consultant

Yr ymgynghorwyr darlledu: Department Purple

Peirianwyr y systemau gwynt: Arup

Peirianwyr y lifftiau: Arup

Peirianwyr ffasâd yr adeilad: Arup

Peirianwyr gwrthsefyll bomiau: TPS consult

Cydnabyddiaeth

Y darluniau pensaernïol ar dudalennau 32/33, 35, 38, 40/41, 43 diolch i Rogers Stirk Harbour + Partners.

Y darlun o'r awyr ar dudalen 6, ffotograffiaeth gan Simon Regan/ Photolibrarywales.

Y darlun o'r awyr o Fae Caerdydd ar dudalennau 10/11, © Hawlfraint y Goron (2010) Croeso Cymru.

Y model o'r Senedd ar dudalennau 162/163, ffotograffiaeth gan Eamon O'Mahony ©.

Y darlun o'r awyr o'r cwfl gwynt ar dudalen 39, y darlun o'r cyntedd ar dudalen 42, ffotograffiaeth gan Grant Smith ©.

Y darlun o'r to a'r siambr drafod yn cael eu hadeiladu ar dudalennau 44/45 a 46/47, ffotograffiaeth gan Katsuhisa Kida ©.

Ffotograffau o'r archif diolch i Bute Archive ym Mount Stuart ar dudalen 24; Gwasanaeth Llyfrgelloedd Cyngor Sir Caerdydd ar dudalen 19; Media Wales Limited ar dudalennau 26/27, 28; yr Amgueddfa Forwrol Genedlaethol, Greenwich, Llundain ar dudalen 29 ©; Amgueddfa Genedlaethol Cymru ar dudalennau 20/21, 22, 23, 25, 27, 30, 31, 50/51.

Ymchwil o'r archif: Ami Zienkiewicz

Cyfieithiad gan Rhys Iorwerth

Mae'r awdur yn diolch i Geraint Talfan Davies, Malcolm Parry, Iwan Williams a Penny Symon.